JN097363

楽しい公共空間をつくるレシピ

プロジェクトを成功に導く66の手法

平賀達也
山崎 亮
泉山塁威

樋口トモユキ
西田 司
編著

ユウブックス

はじめに　平賀達也

あなたのためのとっておきのレシピ

公共空間は、あなたや、あなたの身近にいる人々の暮らしを、より豊かにしてくれる可能性を秘めています。あなたはすでに、公共空間を使って地域や仲間のために活動を続けているかもしれないし、あるいはこれから何かを始めてみたいと思っているかもしれない。ただあなたは、日々の生活のなかで漠然と感じる不安に対して、何かしらのアクションを起こしたいと思っている。

あなたには、幼い頃からあなたのために料理をつくり続けてくれた人がいる。やがて１人になって、空腹を満たすためにつくり始めた料理を、美味しいと言ってくれる誰かが現れる。あなたはその誰かのためにまた料理をつくってあげたいと思う。そして気づくのです。かつて一皿の器に込められていたたくさんの愛情と、かけがえのないやさしさに。いただきます、ごちそうさま、そんなありふれた言葉を愛おしく感じながら。

あなたの暮らす街で、あなたが活動を始めてみたいと思った動機も、同じような気づきからではないでしょうか。そんなあなたのために、公共空間という社会の器に盛り付けられる、とっておきのレシピをたくさん用意しました。地域で何かを始めてみたいと思っているあなたに向けて、この本はつくられています。こんにちは、ありがとう、そんな何げない会話のある街の風景を、子どもたちの世代につなげたいと思っているあなたに向けて。

この本で伝えたいこと

公共空間とは、身近にある公園や駅前の広場、あるいは街なかの空地や河川の歩道など、地域の人々が日常生活のなかで何げなく使っている場所のことです。公共空間と聞くと行政の管理下にある場所だと思われがちですが、本書では民間企業や個人の所有地であっても、地域の人々に開かれている場所、地域との関わりが深い場所は公共的な空間だと捉えています。これら公共空間の多くは、高度経済成長期に整備されましたが、日本が成熟期に移行する今、地域社会が抱えるさまざまな課題の解決に貢献しているとは言い難い状況にあります。

そうしたなかで、公共空間を活用しようという機運が全国規模で高まりつつあります。背景にはいくつかの社会的な要因が考えられます。まずは少子高齢化による社会構造の変化です。海外投資やインバウンドの外需に期待し、グローバルな都市間競争に負けないよう、魅力ある公共空間を都市経営の新たな基盤にしようという動き。また、人口流出や地域格差を是正するため、街なかの公共空間を活用してローカルな社会資本を再編しようという動きです。

そして、2020年春に全世界を襲った新型コロナウィルス。長い外出制限で誰もが疲労困憊するなか、普段の生活では関心の薄かった身近な公園や自然の存在に親しみを感じた人も多かったのではないでしょうか。身近な公共空間に対する個々人の気づきは、コロナ後の社会にとって公共空間の更なる活用を後押しする動きにつながっていくことでしょう。

公園や道路などを管轄する国土交通省も、2017年6月の都市公園法の改正や、2020年2月の道路法を改正する法律案の閣議決定を受け、官民の連携や地元の参加により公共空間を積極的に活用できる街づくりの推進に取り組み始めました。しかし、公共空間を使って地域社会のために何か活動を始めたいと考えている人が増える一方で、どのようにすれば活動をスタートできるのか、あるいは活動を軌道に乗せることができるのか、という多くの声が聞こえてくるようになります。私たちが公共空間を活用できる指南書をつくろうと考えたのには、このような経緯がありました。

本書の著作に携わったメンバーは、公共空間を仕事の対象領域の1つにしていますが、それぞれが得意とするバックグランドはかなり異なっています。公共空間の目利きでもある個性的なメンバーが伝えたいと思うメッセージを、読者の方々に向けてどのようにアレンジすればわかりやすく届けられるか、随分と悩みました。辿り着いた答えが、「料理のレシピ本」のような「公共空間のレシピ本」でした。料理のさまざまなつくり方を伝えることで、地域独自の文化や風習が受け継がれてきたように、公共空間の多様な使い方そのものが、地域固有の誇りや記憶を受け継ぐきっかけになってほしいと思ったのです。そんな思いを込めた本には、3つの特徴があります。

1つめは、66の「手法」で11の「レシピ」を紹介していることです。初心者でも本格的な料理がつくれるようにさまざまな工夫が施された、レシピ本の伝達方法を参考にしました。活動するうえで重要な役割を担う人材や道具の選定基準を、料理の素材や器具に見立てています。目分量的な経験値を排除しながら、活動に必要な論理的手順や具体的数字を、調理の方法を伝えるようにまとめています。そして料理において一番大切な、たくさんの失敗や成功から学んだ「コツ」の伝授も忘れてはいません。

2つめは、11の「レシピ」を6つの「型」に分類して紹介していることです。読者の方々は、自分たちが公共空間で行いたいと考えている活動のイメージが、「屋外劇場型」、「社会実験型」、「参加体験型」、「持続発展型」、「機能再編型」、「期間限定型」のどの「型」に当てはまるのかを事前に確認することができます。また、社会の価値観が多様化するなか、自分たちで合意形成を図りやすい活動手法に、どの「型」が向いているのかを考えるヒントにもなります。

3つめは、公共空間での活動が地域の未来をより良くできることを、本書に携わったメンバーはもちろんのこと、取り上げたプロジェクトの関係者全員が信じていることです。どの取材先も、長い時間を掛けて独自につくり出したプロジェクト活動の成否を担う運営の仕組みや、プロジェクト工程の管理を司るガントチャートを、惜しみなく提供してくれました。彼ら彼女らがこの本に掛ける期待の大きさを感じながら、私たちも１つ1つのレシピをできるだけわかりやすく届けられるよう執筆や編集の作業にあたりました。

誰かを楽しませたいと思う気持ちがあれば、公共空間を楽しむためのレシピやコツはおのずから伝播して広がっていきます。楽しかった！と言ってもらえるととても嬉しいし、次はもっと楽しませてあげたいと思う。料理のレシピ本をめくると、繰り返し眺めたページには、きまって出し汁やトマトソースの染みが付いている。この公共空間のレシピ本も、汗や涙にまみれたあなたの活動をともに支えてくれる本になってほしい。

まずあなたができることから活動を始めてみることです。そうすれば、住み慣れた街にも関わらず、今までとは違った風景がきっと見えてくるはずです。この本を手に取ったことがきっかけとなって、あなたの身近にある場所で、何かを始めてみたい、活動に参加してみたいと思ってくれたなら、私たちはとても嬉しい。そこで生まれる小さなつながりが、やがては社会を動かす大きな変化につながっていく。そんな未来の可能性を信じて、私たちも日々の活動を続けていきたいと思います。

最後になりましたが、本書の製作にご協力いただいた関係者の皆さま、駅伝のように原稿という襷をつなぎながら長距離を走り続けてきたタフなメンバーたち、スタートからゴールまで大きなメガホンを片手に私たちに寄り添い続けてくれた愛ある編集者・矢野優美子氏に、心より感謝いたします。公共空間と付き合い続けるためには、仲間を信じて走り続けられる体力と、分け隔てのない無償の愛が必要なんだと知ることができました。

さぁ、あなたも走り出してみませんか。公共空間のもつ可能性を信じて。

Contents：目次

Osamu Nishida

Tatsuya Hiraga

Discussion：座談会

魅力的な公共空間は社会課題をも解決する

本書では、行政や鉄道会社、デベロッパー、プロジェクトのために立ち上げられたベンチャーなど、さまざまな主体が運営する活動を「レシピ」に取り上げ、さらにプロセスやコツをまとめた「手法」というかたちでも紹介しました。この座談会では事例の取材で印象深かったレシピの手法について、執筆・編集メンバーが振り返りつつ議論を深めます。

Ryo Yamazaki

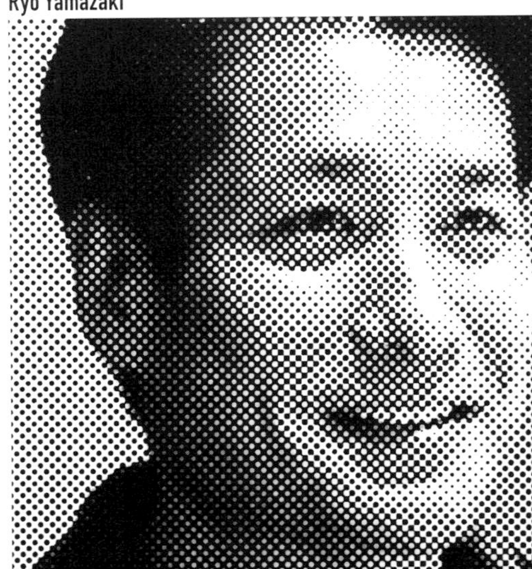

平賀達也

山崎 亮

泉山塁威

樋口トモユキ

西田 司

Rui Izumiyama

当事者意識のもたせ方

平賀：僕は「ホシノタニ団地」【p.138】の取材で伺ったブルースタジオの大島さんが「当事者意識が大切」と繰り返しおっしゃっていたことが印象深かったですね。大島さんは、当事者が頑張らないと地域は良くならないと考えている。だからブルースタジオは、ハードのデザインだけでなくリーシングのデザインをとても大切にしています。単なる「入居者」ではなく「当事者」となる人の募集でもあるからです。

リーシングの一環として行うマーケットのイベントでも、地元で農業を営んでいるおじさんに野菜を直接売ってもらって、「この街はヨー」と地域の当事者としてしゃべってもらう。地元愛のある方たちに地域の魅力を語ってもらうことが、一番強いアピールになるそうです。

そしてこのイベントの目的は、入居の促進だけではなく、地元の人にプロジェクトのビジョンを理解してもらうことでもある。もちろん入居希望者たちがここに来ることで地域の雰囲気を知ってもらう狙いもありますが、地元の方と入居者を両方、当事者として巻き込むことを意図しているんです。

西田：「あそべるとよたプロジェクト」【p.062】でも、「当事者」意識を育てる工夫がありましたね。市民から公募したプロジェクトの参加メンバーに講座を受けてもらい、マニュアルを渡して、プレイスメイキングの心得や公共的な利用の仕方、振る舞いを伝えています。

泉山：それと併せて、公共空間の管理者を束ねたワンストップの事務局を置いたこともとてもいいですね。プレイスメイキングの教育と管理がワンストップでできたことが効果を高めたと思います。

Tomoyuki Higuchi

市民への教育まではなかなか手が回らないことが多いのですが、市がバックアップしてますから、途中でハシゴを外される恐れがない。長期的な時間軸をもてるので実現できている部分もありますね。

「いずみがおか広場 つながるDays」【p.106】でも、ゲストレクチャー、上映会など出店者同士がつながる場をつくり、それぞれの想いを共有したり一緒に学んだりする場を用意することで、当事者意識をもって、自主的に場を運営していく人を育てようとしていました。

またマーケットの事前面談で出店者の想いを確認し、そこでヒアリングしたストーリーをチラシに掲載して、市民の共感を呼ぶ工夫をするなど、出店者と来場者の両方の場所への愛着を育てていく仕組みがありました。ほかではあまりないオリジナルな工夫だと思います。

人間関係を見極め耕す

樋口：当事者意識の育成とは反対のベクトルかもしれませんが、自分も関わる「染の小道」【p.018】では、染色関連業や商店会の役員など、それぞれの立場の当事者たちが実行委員会に加入しています。ですから1つの組織だけが目立って全体のバランスが崩れてしまわないよう、それぞれの組織で代表をもち回ることにしています。これはなかなか突飛なアイデアで、誰が責任者なのか説明するのが難しく、胡散臭がられることもあるのですが、運営上はうまくいって、もう10年以上続くイベントとなっています。

山崎：人間関係のつくり方は重要なテーマですよね。「みんなのうえん北加賀屋」【p.124】でもいい発見がありました。studio-Lが当初、この地域のコミュニティデザインを依頼されたのですが、そのときは農園という話はなかったんです。まず町内会など地元のお年寄りとワークショップを開催して、そのときに「自分たちの食べるものを自分たちでつくりたい」という意見が出たので、農園を提案しました。

こんなふうに「地域の意見にもとづいた提案」という事実があるから、若い人たちが勝手にやっていても地域の方々は見守ってくれている。こういう経緯を踏まえたプロジェクトであるということが、その後の円滑な運営につながるんだろうと思いました。

樋口：まちづくりに関わるような活動は商業ベースには乗りにくく、どうしてもボランティアに頼らざるを得ないですから、スムーズな人間関係づくりや良いメンバー集めの手法は必須ですね。「移動式子ども基地」【p.090】を実施するNPO法人コドモ・ワカモノまちingでは、一時的にスタッフを増やしたこともあったのですが、結局動きが鈍くなるということで、必要なときに、必要な人にヘルプに来てもらうことでうまく回しているそうです。

泉山：代表の星野さんがボランティアの人材バンク（リスト）をもっていて、コアスタッフを絞りネットワーク型で運用しているところがすごいですね。

西田：スタート時の手法としては、関係者の期待値を下げておくことが、とても重要だと思います。オンデザインパートナーズが関わった「吉日楽校」【p.154】では、主催の野村不動産ホールディングス(株)の担当者やその上司に「なかなか集客できるものではありませんから、初回のイベントは社員を集めてくださいね」としつこく伝えました（笑）。

山崎：確かにそれは大事ですね。studio-Lでも、同様の工夫をします。街なかで何かやりましょうというときは、「最低3人集めるプログラムを考えてください」と言うんです。3人であれば家族や親しい友達を呼べば集まりますから。それで本人がほんとうにやりたいことをやってもらえれば、数人来ただけでも喜んでもらえます。

泉山：確かに。たとえばおにぎりが好きなら、おにぎり教室を開いておにぎり好きの人と知り合えれば、それだけで楽しいですよね。人数は関係ない。「楽しい公共空間をつくるレシピ」の手法ですから、期待値を下げておくというのは、大切かもしれません。

刷新だけが手段ではない

泉山：自分の本業以外で続ける場合も多いですから、頑張り過ぎると続けられない懸念もありますよね。

「ねぶくろシネマ」【p.034】のレシピに「徹底した定型化で負担少なく回せるように」とあるのが興味深いです。イベントって、毎回違う工夫をしないと集客できない、というプレッシャーを感じがちですが、それればかり考えていると疲れてしまう。

樋口：この定型化というのは行政や協賛企業に提出する企画書や、告知バナー、会場の設えなどのフォーマットをつくってしまうということですね。無理なく続けられる工夫をしているんです。場所と映画の内容のマッチングという一点突破で、同じフォーマットでもそれぞれ説得力のあるイベントができる、という立て付けがうまいところですね。

西田：一方で、デザイナーって刷新してしまうという癖があるように思います。同じモノを2回つくりたがらないというか。でも「ねぶくろシネマ」運営者の唐品さんは次回も同じかたちで進めることが大事だと理解している。それは落語で同じ噺家さんの話を何度でも聞きたいと思うことと似てると思うんです。

山崎：デザイナーが刷新したがるというのには、近代以降のデザイン教育の問題があるような気がしますね。僕らは課題を見つけてそれを解決し、刷新することがデザインだと教育されたけど、公共空間を使いこなすというときには、それだけが良い方法だとは限らないという気がしました。

西田：頑張り過ぎないことでうまくいくという例もありますよね。「吉日楽校」では、オープンデーという何も企画がない日をつくりました。何も企画がないと不安になりそうですが、結果的にはこの日に「やりたいこと」をもち込んだ人がすごく増えて、オープンデーのほうが盛り上がったんです。その「やりたいこと」の企画を集めてマルシェも開催できたし、「みんなのやりたいを引き上げる」というゴールに近づいたんですね。

「アーバンキャンプ」【p.078】でも「おもてなし」し過ぎないことを意識していましたし、余白があることが参加者のアクティビティを刺激するのかもしれません。最初、企画した田中さんたちはさまざまなサービスを用意したのですが、結局キャンプをする人がそれを求めていない、コントロールされたくないという気持ちがあることがわかった。この発見が成功につながったわけです。

山崎：それは地域によっても違っていて、都会で行う「アーバンキャンプ」であれば、まわりにコンテンツが溢れているのでそれ以上のものは不要だし、空き地が少ないエリアであれば、緑の空き地で好きなことができるというだけで魅力的だけど、田舎でキャンプや空き地で人を集めようとしたら、何かしらのコンテンツが必要ですよね。

西田：確かに、それぞれの地域や条件で盛り上げるための手法というのは異なりますから、それは読者にもきちんと伝えたいですね。

民間企業にこそ求められる
パブリックマインド

山崎：この本で取り上げるほとんどの事例が住民参加型だったり、川や道路や空き地が舞台だから、そんな「公共空間」を楽しむためには手法が必須なわけですが、そのなかで「Ginza Sony Park」【p.170】は異色と言えますよね。ほかと違って、ここでの手法はあくまで企業のブランディングのためのものですよね。

平賀：「Ginza Sony Park」プロジェクトの責任者である永野さんは、ソニーのブランディングの責任者でもあるんですよ。ですからソニービルを建て替えるにあたり、このプロセス自体をソニーらしいものにする必要があると考えた。ですから東京オリンピック開催時期の竣工を外し、それまでの期間をパークにすると決めたわけです。結果的に１年半で 500 万人を超える人が国内外から来場している。この場所での体験が企業にとって大きな宣伝効果となると見越していたことに、先見の明があったように思います。

東京都心部では今、行政が民間の企業に再開発を丸投げしていると言っても過言ではない状況だと思います。ですから民間企業がパブリックマインドをもちながら開発できるような事業プロセスを発明しないと、今後は悲惨な状況になり兼ねない。この事例はデベロッパーが参照してくれるといいなと考えているんです。

デベロッパーの価値基準では、どうしても収益をどれだけ上げたかで社内の評価が決まってしまいますが、持続可能な社会に貢献しながら、会社にも利益をもたらせる事業プロセスの方法があると知ってもらえたら、街のあり方も変わってくるように思います。

ビジョンの功罪

泉山：掲載する事例に共通の手法としてよく挙がっていたのが、イメージをビジュアルで共有することですね。「ホシノタニ団地」のほかにも「染の小道」「いずみがおか広場つながるDays」「吉日楽校」と多くのプロジェクトで作成されていました。

山崎：ニューヨークの「ハイライン(The High Line)」でも最初に将来イメージのグラフィックを作成していましたね。廃線となった高架線を公園に変えたこのプロジェクトでは、種子の採取など小さなことから始めていって機運を高め、やがて役所を巻き込み、民間の出資者を募り、公園にしていった。こんな大きなことをやるときでも最初はグラフィック1枚だったわけですから、今やスタンダードな方法と言えるのでしょうね。

ただ僕の事務所ではあえてそれをやらないようにしているんです。というのは、地元の方たちとの話し合いの場で、僕らが簡単なスケッチでも描いてしまうと、それが答えであるかのように、それに向かって一気に進んでいってしまうからです。

泉山：確かにみんなビジョンを欲しがることが多いし、それがないと動けないことも多いので、まずビジョンからとなりがちです。

樋口：絵を描かずに待っていてこそ、初めて住民のなかから何か発想が出てくるのでしょうか。

山崎：少しずつですが、住民が試行錯誤するような雰囲気が現れますね。それが待てないと絵を描いてしまう。答えを出してしまう。それをやると、住民は「次はどうしたらいいんでしょうか」という頼るスタンスから抜け出せなくなってしまう。ですから初動のときから、「誰かが答えを出してくれる」という状況はつくり出さないようにしています。

その代わり答えが出るまで時間は掛かり

ますけどね。ですから最初に時間資本をどれくらい確保できるかが、課題解決型プロジェクトにおいては大切だと思っています。

泉山： 行政主導の社会実験でも時間の確保が大切だと痛感しています。僕がディレクターとして企画・運営に関わった「パブリックライフフェスさいたま新都心2018」【p.046】では、現状をチェックしニーズを把握すること、調査にもとづき「仮説」をつくること、企画を一緒につくるプロセスを描くこと、という基本的なプロセスがきちんと実践できたことが良かった点だと思います。

イベントを遂行することだけで精一杯になり、先に述べたことも含め戦略を練ることができないで終わってしまう社会実験も多いのですが、時間をきちんと確保することの大切さを伝えたいですね。

平賀： 先ほどデザイナーは場を刷新したがる、という話がありました。僕は公共空間のデザインは、場の刷新ではなくて、場の記憶の継承でなければならないと思うんです。公共空間として残っているような場所は、地域の人々が大切に守りつないできた場所との関係性が必ずといっていいほどある。都市にありながら自然の時間が残っている、鎮守の森のような古くからあるもの。そういう場所が担ってきた物語性を人々に伝え、地域への愛着や誇りを取り戻していくことが社会の幸せにつながるのではないか。行政にとっても、地域の歴史を未来につなげることが役割の1つだと思っています。

だから、地元の方々が地域の未来を議論する時間に加え、地域の歴史を参照する時間を確保することが大切です。そして言葉だけでなく、場所の時間と空間のつながりを具体的な絵で見せていくことも大切なデザインアプローチだと考えています。

もっと、公共空間を楽しもう

泉山： 公共空間を楽しもうという動きが盛り上がってきたため、行政側に何もしていないことがまずいという感覚があるようです。とにかく何かしなきゃいけないと、まず社会実験ありきで、あとから課題を探す感じも見受けられます。

山崎： 僕らが携わっているコミュニティデザインという仕事も、近代以降のデザイナーの仕事も、課題を解決することだという話を先ほどしました。行政も同じで、言ってみれば困窮してマイナスの状態にいる人たちをゼロの状態まで戻すこと、つまり課題を解決することを目標にしがちです。もちろん、税金を使っているわけですから、マイナスをゼロにすることは大切です。ゼロをプラスにするのは民間がやればいいという論理もわかる。しかし、ゼロをプラスにする取り組みが、マイナスをゼロにするきっかけにもなり得ると思います。

樋口：公共空間を使いこなして楽しいことをしていると、そこに集まるのは概ね健康で、人並みの生活ができていて、初めて会った人とも挨拶しながら一緒に何かができそうな人たちが多いように感じますね。

山崎：確かにそうですね。でも、そのまわりで遠くから眺めている人もいます。「参加しにくいな」と思いつつ、でも「勇気があれば参加したいな」と思って眺めている。あるいはウェブサイトで写真や動画を見て「次回は参加してみようかな」と思っている人もいる。また、「こんな場があるなら、普段は家から出ないあの人を誘ってみようかな」と思いつく人もいるかもしれません。

樋口：本書で紹介するような、公共空間を使いこなす人たちの活動は、そこが公共空間だからこそ「基本的に誰でも参加できる」ということを言外に言っていますよね。

山崎：その活動を何度も続けていると、勇気を出して参加する人が出てきます。引きこもりだった人を誘って来てくれる人も現れます。最初は若者だけで盛り上がっているように見えていた活動に、高齢者の参加が増えていくこともあります。そこには、多様な参加者を受け入れる雰囲気、もっと言えば、多様な参加を面白がる雰囲気が必要になりますが、逆に言えば多様性を面白がるという特徴さえもっていれば、公共空間を楽しいものにする活動が誰かの課題を解決することにつながるわけです。

西田：マイナスをゼロにすることと、ゼロをプラスにすることはきれいに分けて考えられるわけではない、ということでしょうか。公共空間が魅力的な状態になることによる福祉的な効果はどれくらいの広がりをもち得るのか。これは、実際に公共空間を使いこなしながら体験的に発見していくことなのかもしれません。

山崎：自分の暮らす街を楽しいものにしたいなら、公共空間を楽しいものにしてしまうのがいいんです。そうすれば新しい仲間に出会うことができるし、これまで知らなかったことを知ることになる。できなかったことができるようになる。そして、いつの間にか誰かに感謝されている。その街で歳を重ねて、1人でできることが減ってきても心配ない。ともに公共空間を楽しんできた仲間たちがいるから。

公共空間を使いこなすことは、人々の人生を豊かなものに変えてくれると思います。別に高いお金を払わなくても、人生は豊かなものに変えられる。そのための公共空間は、意外と身の回りに存在しています。これを使いこなさない手はありません。本書を読んで「よし、やってみるか」と行動し始める人がいてくれたら嬉しいですよね。

Chapter

屋外劇場型

Recipe 01

都心の川面でそよぐ反物、「染色の街」の新たな挑戦

東京都心にありながら、着物の生産地としての歴史をもつ新宿区。そのブランドを再発信して、街全体の活性化につなげようとする住民発意の活動が「染の小道」です。毎年2月末の3日間、河川という公共の場を展示空間とした企画で、多くの観客を集めます。

染の小道（東京都新宿区落合・中井）

Method

染の小道の手法

1

妄想を
つぶやき続ける

「染の小道」では、老舗染色工房４代目の「裏の川に反物を架け渡す」という、妄想ともいえるアイデアがタネになっています。彼がその思いつきをしつこくつぶやき続けた結果、面白がってくれるデザイナーが現れてイメージを描き、プロジェクトが動き始めます。どんな大きな構想も、口にしなければ妄想のまま。どんどん発信していきましょう。

2

熱意をもって
行政に相談し続ける

前例のない取り組みは、行政の苦手とするところ。やりたいことが明確であれば、そのイメージを企画書にしてことあるごとに相談してみると、道が拓ける可能性は上がります。窓口になってくれる行政職員に行き当たるまで、粘り強く相談を重ねるのも方法の１つです。

3

寄付を募り
出費を抑える

イベントに必要な備品などを自前でそろえることは、とくに企画の立ち上げ時には難しい場合が多いでしょう。趣旨に賛同してくれる協力者を見つけて在庫品などを提供してもらえれば、初期コストを抑えることができます。「染の小道」で川面を彩る反物は、当初は染色工房や問屋に眠っていたものを寄付してもらいました。

歴史や文化が蓄積された街で活動しようとする場合、何もない場所よりは取っ掛かりが得やすいのは確かです。反面、歴史ある土地だからこそ、過去からの慣習やしがらみに配慮しつつ、それらを乗り越えられるだけの強度をもった企画が必要となります。「染の小道」では「川に反物を架け渡す」という誰もがワクワクできるアイデアを核に、商店会や町会、染色組合といった枠を取っ払い、有志による実行委員会形式とすることでイベントを実現に導いてきました。実行委員の皆さんにお聞きした、実現までと継続させるための手法を紹介します。

4

地域を巻き込む仕掛けをつくる

地域でものごとを起こすとき大切なのは、既存の団体や組織との対立を避けること。さらにうまく協調関係を築くことができれば、成功の確率は上がります。そのためには、関わりやすい参加型の企画がオススメ。「お隣はやっていますよ」と、横並び意識を刺激するのも効果があります。

5

様々な立場のバランスを取る

染の小道実行委員会には染色関連業や商店会の役員など、それぞれ立場のある人が参加しています。自分の視点から物事を判断しがちなのは仕方のないこと。偏りを防ぐために代表は1期交代とし、3つの所属枠からもち回りで選ぶことで、10年以上続くイベントとなっています。

6

常に新しいチャレンジを

ボランティア活動は、関わる人々のモチベーションをどうやって維持するかが重要です。当初は目新しい企画でも、繰り返すうちに周囲の期待とともに義務感が募り、やがて燃え尽きる人も出てきます。毎年少しずつでも新しい企画を立案し、変化を続けていくことができれば、常に新鮮な気持ちで臨むことができます。

アイデアを出す人、それを形にする人

「鍵を握るのは人」——そう断言するのは小林元文さん。新宿の落合・中井エリアに工房を構え、2020年に創業100年を迎えた老舗染色工房「染の里 二葉苑」の4代目を務めます。

かつて染色で栄えた街である落合・中井を、再び染めものをテーマに盛り上げようというイベントが「染の小道」です。2009年に地域のギャラリーや工房の合同展示会として産声を上げたこのイベントは、2011年の開催時に、川に反物を架ける「川のギャラリー」と、商店街に染色作家が製作したのれんを掲げる「道のギャラリー」という2大企画を実現し、大きな飛躍を遂げました。小林さんは、この2つの企画のもともとの発案者です。

どこかで目にした川面に架けられた鯉のぼりをヒントに、工房の裏手を流れる妙正寺川に反物を架けるというアイデアを温めていた小林さん。まずは社員に相談してみたものの、あまりに斬新過ぎたのか反応はいまひとつでした。そんな小林さんの発想に反応したのが、中井育ちで当時二葉苑のすぐ近くに住んでいた、グラフィックデザイナーの泉雄一郎さ

(左・右上) プロジェクト初期に作成された、川の写真に反物を合成した「川のギャラリー」イメージ
(右下) 商店街の写真にのれんを合成した「道のギャラリー」イメージ

ん。川の写真に反物を合成して、実際に架かった光景をリアルに表現しました【p.022 下図】。この1枚の絵が、集まり始めたメンバーとのイメージ共有や、新宿区の関係部署へのプレゼンテーションにおおいに役立つことになりました。

とはいえ初めての試み。手探りの状態だったメンバーの強い味方となったのが、新宿区職員の東研二さんです。当時文化観光国際課に所属していた東さんは、別件で小林さんの工房を訪れた際に相談を受けました。「企画の意図はよくわからなかったが、小林さんの熱意がとにかくすごかったので」と言う東さん。小林さんのアイデアをどうすれば実現できるのか、庁内の調整に動き始めました。

河川をタダで借りるため「共催」で突破

最大のハードルとなるのは、規定通りに計算すると100万円を超える河川占用料でした。河川管理を担当するみどり土木部に、どのようなかたちであれば占用料免除で借りられるのか相談し、区との共催事業とすれば可能性があるという感触を得ます。そこで自分の部署が窓口となり責任をもって対応することを前提に、共催の協定書を作成しました。その結果、東京都河川

「染の小道実行委員会」のメンバーと、参加店舗・作家、サポーターの面々

流水占用料等徴収条例第4条の規定にもとづき免除とすることができたのです。

「ある意味、正規の仕事でなかったのでできたこと。協定書も未定の事項が多く、あいまいな記述で押し通さざるを得ませんでした」と東さんは振り返ります。川に反物を展示するという前例のない事業は、ともかくも実現に向けて大きく動き出しました。

その一方で小林さんは、商店街の店舗の軒先に作家が染めたのれんを展示する道のギャラリーも考案します。「われわれ染め屋が勝手にやっているイベントだと思われてしまうと広い協力は得られない、と街の方から助言をいただいた。街と一緒に盛り上がらないと意味がない」(小林さん)。

公平性を考えると、100店舗以上ある店舗のすべてに声掛けしなくてはなりません。地元フリーペーパー『おちあいさんぽ』(現在は休刊)の編集スタッフが中心となり、子育て中のメンバーがベビーカーを引きながら1軒1軒飛び込みで説明して回って同意を取り付けていきました。また、話を聞いた地元の信用金庫も協力を申し出て、営業の際に企画書を配って回ったとのことです。

「奇跡的に、さまざまな立場の人が集まって、初めて形にできたこと。誰1人欠けても実現できなかった」。小林さんはそう語ります。

3日間で1万人以上動員、海外からの参加も

2大企画を初めて実現した2011年2月の開催では、来場者数は3日間で推計4,400人、道のギャラリーとしてのれんを飾

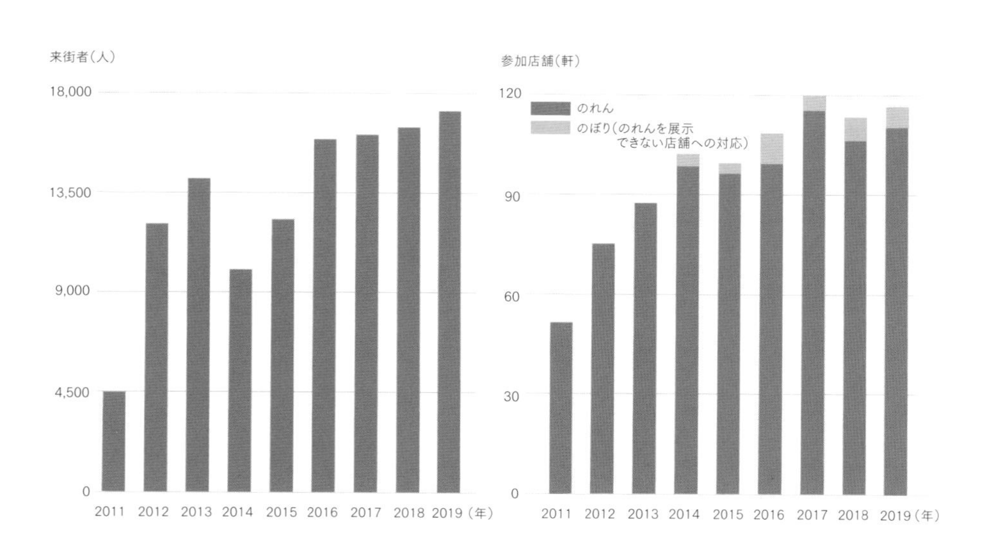

「川のギャラリー」「道のギャラリー」を実現した2011年以降の来街者数(左)と参加店舗数(右)

る参加店舗は51軒でした。8年後の2019年2月には来場者は1万7,000人、参加店舗は115軒にまで増えています。地域イベントとして定着してきたと言えるでしょう。

2月の寒い時期ですが着物での来場も多く、当日、ワンコイン着物レンタルを提供する店舗もあります。海外からの観光客も目立ち始め、2017年から実施している英語の公式ツアーは、毎回あっという間に募集枠が埋まってしまうほどの人気です。

また、道のギャラリーでのれんを製作する作家も、海外からの参加が見られます。初回は新宿区で活動、またはゆかりのある作家という制限があったとのことですが、参加店舗が増えるにつれ、つくり手の確保が課題となり、広く公募するように。2019年は、全109作品のうち8点が韓国から、フランスからも1点の参加がありました。

代表が毎年交代、偏り防ぐ

2011年2月の実施に向けて、地域の住民や商店街に声を掛けてメンバーを募ったのが、現在も続く実行委員会の基となっています。通年で運営に関わる中心メンバーは25人程度。月1回の会議を開き、情報や各分担業務の進捗状況を共有しています。イベント当日の3日間は、大学生のサポーターなども含めて述べ200人近くで運営を支えます。

中心メンバーは染色関連業の経営者や地元商店街の役員をはじめ、地域内外に住む会社員や自営業、周辺の大学生など、さまざまな属性が入り混じっています。年齢も20代から60代まで幅広く、男女比はおよそ半々。全員がボランティアで、ほかに本業をもちながら、少なくない時間を活動のために割いています。

2011年の開催時に代表を務めたのは、和食器のギャラリーを運営する山本千寿子さん。染色作家の親をもちこの地で生まれ育った山本さんは、並々ならぬ街への愛着をもち、立ち上げに奔走しました。

以来、代表を1期ごとに交代するのが習わしになっています。しかも、染色関連業と商店街、その他住民という3つの所属枠からもち回りで選出しているそうです。中井商工会の会長で、2014年開催時の代表も務めた丸山博史さんは、「3つの立場から、いろんな意見が出ることでバランスよく発展してきた」と話します。

反物の寄付を募り負担を抑える

実行委員会は2020年の開催に向けて、10期目を迎えました。法人格をもたない任意団体として、助成金の取得なども含めて切り盛りしています。会の支出の大半を占めるのが、フライヤーやパンフレットといった印刷物と、イベント当日3日間の警備員の人件費で、予算規模は250

（上）ボランティア参加の学生スタッフ
（下）英語の公式ツアーは毎回あっという間に募集枠が埋まってしまうほどの人気

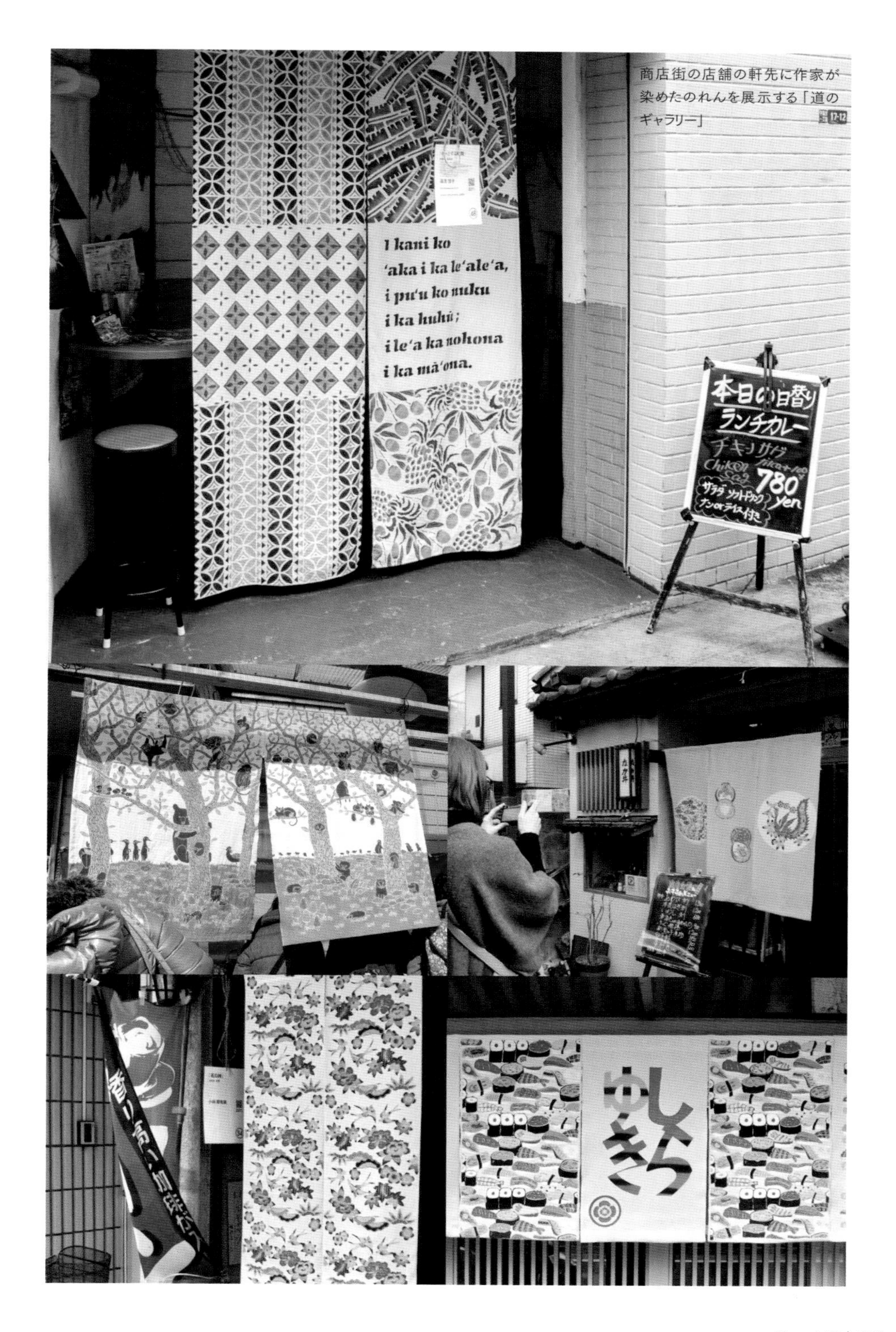

商店街の店舗の軒先に作家が染めたのれんを展示する「道のギャラリー」 17-12

万円前後。これを道のギャラリーの店舗からの参加費（1軒4,000円）と、パンフレットへの広告収入、寄付金、助成金、グッズの販売収入などで賄っています。

川に架ける反物は、企画の趣旨に賛同する地域の染色工房や問屋が、ストック品を寄付したものがベースになっています。本来なら販売価格で10万円を超えるようなクラスのものですが、素人目にはわからないキズなどがあるB級品を提供しているとのことです。

反物は両端を袋状に加工してパイプに固定。ロープを通して、6反を1セットに仕立てています。設営時には、先に川に架け渡してテンションを負担する細引きロープに、反物を金具で引っ掛けながら、操作用のロープで引っ張っていきます。国旗掲揚ポールを横にしたような機構です。

1スパン当たりの材料費はおよそ8,000円。これを上流から下流までおよそ300m、25スパン分で20万円という計算です。1回組み立てたものは次年度以降も基本的には引き継いでいるので、毎年これだけの費用が発生している訳ではありません。

新規に追加する「百人染め」については、その都度白生地が必要となります。絹生地だと安いものでも1反1万円から、ま

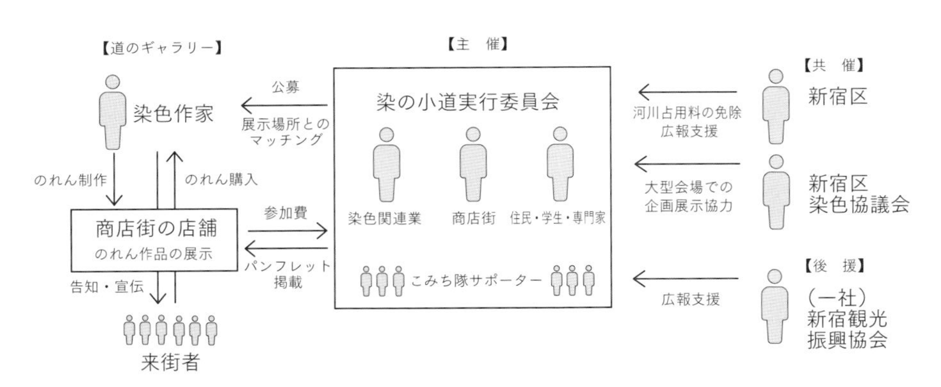

運営・活用システム

年度	助成金の名称	金額	目的
2011年度	「まちづくり人」応援助成金 （財団法人まちづくり市民財団）	10万円	立ち上げ期の補助
2016、17、18、19年度	東京地域芸術文化助成 （アーツカウンシル東京）	50万円／年	10周年事業の補助ほか

助成を受けた団体と金額

た型紙製作や染料代も発生しますが、百人染めの実施団体に負担をお願いするかたちでトントンに納めているそうです。

また、商店街を染色作家ののれんで彩る道のギャラリーでは、ギャラリーという仕立てにすることで、制作費は作家側の負担としています。展示先のお店はもちろんのこと、来場者が気に入って購入するケースも増えているようです。

通年企画で実行委員の新陳代謝を促す

染の小道の実行委員は、もともとがボランティアで集まっているメンバーです。家庭の事情や環境の変化などから参加が難しくなるケースが続き、新しい中心メンバーの確保が急務となっていると言います。また、当日を支える大学生を中心としたサポーターも、年によって参加にばらつきがあるので、地元町会からの参加を受け入れるなどして底支えを試みているそうです。

町会や学校が参加する窓口の1つとなっているのが、通年で実施している百人染め。一反の白生地を、小学校の授業や地域のお祭りなどでみんなで染めていくという参加型の企画です。染めた反物はイベント当日、川のギャラリーに飾られます。

実行委員会では百人染めのほかにも、染色作家のトークショーや着物でお出掛けする企画など、年間を通したさまざまな催しで参加の敷居を下げる工夫をしています。「地域イベントは地域の人が支えるのが基本ですが、限界があります。お神輿が担ぎ手を外から呼んでくるように、ほかの地域からサポーターや実行委員をどうやって集めてくるかが重要です」と丸山さんは説明します。

「いつ来ても染めの街」に

多くの街おこし系イベントの主催者が抱える悩みは、開催期間以外の日常をどうするか、ということではないでしょうか。落合・中井の地域イベントとして親しまれるようになった染の小道も、1年に3日間の限定開催。この3日間は確かに街が染めもので埋め尽くされますが、ほかの日に来ても、染色の街という雰囲気はありません。

実行委員の有志で実験を進め、2019年3月に初めて実施した新企画「護岸アートギャラリー」には、この悩みに応えられる可能性を感じます。江戸時代から伝わる「青海波」や「七宝」などの文様を、妙正寺川の切り立ったコンクリート護岸壁に“染め抜いて”いくというものです。一体どういうことでしょうか?

実際の染色の工程では布地に型紙を当て、上から刷毛で防染糊を塗っていきます。そのあとに反物全体を染めて糊を

（左）反物の両端を袋状に加工しパイプを通し固定する　（右）護岸壁に文様を“染め抜く”「護岸アートギャラリー」。新宿区との協定にもとづく許可のもと作業

「川のギャラリー」設営の様子。先に川に架け渡した細引きロープに反物を金具で引っ掛けながら、操作用のロープで引っ張っていく

落とすと、糊の付いていた部分が染まらずに白く残ります。護岸アートギャラリーでは、畳1枚ほどの大きさのポリカーボネート板を型紙に見立てて文様を切り抜き、刷毛の代わりに高圧洗浄機で水を噴射します。そうすると、形を抜いた部分だけが洗われて、文様が浮き出てくるという仕掛けです。

一気に作業するのは難しいので、毎年少しずつ増やしていくことになります。単に見学するだけでなく、文様の由来を解説する冊子や、染色体験付きのツアーなど、染色という文化への理解を深めるコンテンツとして利用していきたいとの構想もあるようです。

染色に限らず、全国各地で伝統産業としての手仕事の伝承が難しくなってきています。染の小道の活動は、地域の産業と密接な関係があった河川という公共空間を使い、新しいかたちで地域と産業を結び直すという意義をもった試みと言えるのではないでしょうか。

文：樋口トモユキ／取材協力：(株)二葉代表 小林元文、新宿区 東研二、中井商工会会長 丸山博史

染の小道 データ

主催者概要
染の小道実行委員会
組織形態：民間・任意団体
設立：2010 年
スタッフ人数：中心スタッフ 25 人前後
染の小道：http://www.somenokomichi.com

地域概要
対象レベル：地区レベル
地域特性：首都圏都心部
用途地域：第一種住居地域、
第一種低層住居専用地域、
第一種中高層住居専用地域、
近隣商業地域、商業地域、準工業地域
活用制度：無

染の小道の年間スケジュール

	5月	6月	7月	8月	9月
定常業務	総会準備	道のギャラリー募集準備	道のギャラリー募集		マッチング準備
会議(★チーフ会 ☆全体会)	★	☆ 総会 ★		★	★
① 道のギャラリー店舗班		のれん参加募集		大口展示／利用者エントリー	調整期間
② 道のギャラリー作家班			のれん参加募集		調整期
③ 広報班				FB、ホームページ随時更新	
④ 制作・イベント班					フライヤー案作成 入稿・印刷
⑤ 渉外班		百人染め募集			百人染め実施
⑥ 川のギャラリー班					
⑦ サポーター班			水元再現＆神楽坂散策 ＊	美術館＆ビアガーデン ＊	中井御霊神社例大祭 ＊
新宿区染色協議会関連イベント			水元再現 ★		
⑧ 会計				アーツカウンシル申請	

毎年２月末、３日間のイベントに向けて、１年間掛けて準備します。年度の前半は「道のギャラリー」の参加店舗、参加作家の募集が大きな業務。作家班と店舗班がそれぞれ呼び掛けて、数が同じになるようにすり合わせていきます。10月、店舗と作家の組み合わせを決めるマッチングが済むと、パンフレットの制作に着手。年明けに納品してから２月の当日まで、機運を盛り上げていきます。

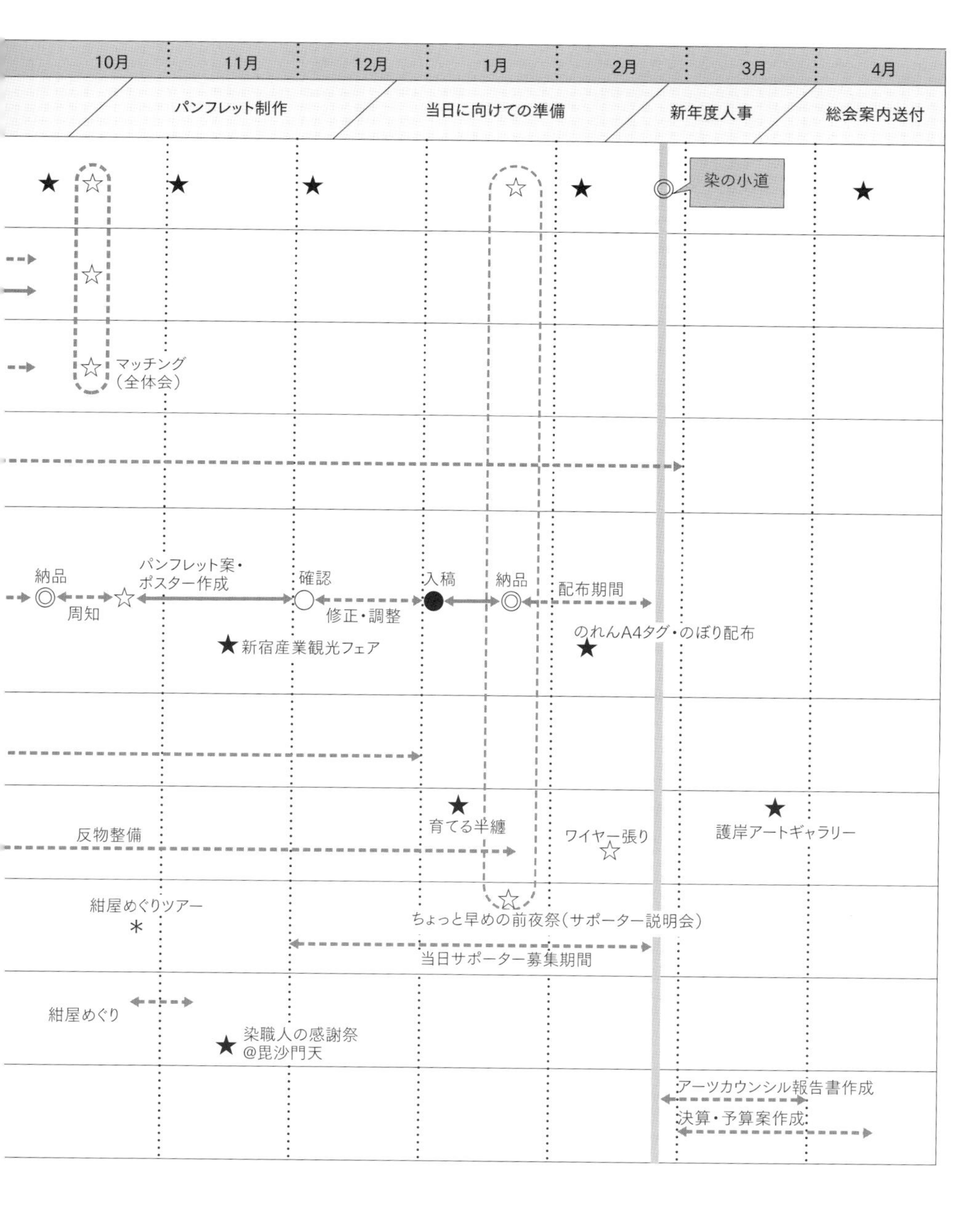

Recipe 02

親子で楽しむ野外上映、
場所と体験を結び付ける

東京・多摩川河川敷の鉄道の橋脚から始まり、さまざまな場所をスクリーンにして野外シアターを開催し続ける「ねぶくろシネマ」。それぞれの場所とリンクする映画を選び、親子連れで気兼ねなく楽しめる。ファミリーを対象とした新しいプロモーション手法として、遊休不動産をもつ企業や自治体が注目しています。

ねぶくろシネマ（全国各地）

Method

ねぶくろシネマの手法

7

イベント仕立てで課題を話し合い

地域の課題を、面白がりながら気軽に話し合うアイデア会議から「ねぶくろシネマ」は生まれました。その場の盛り上がりや、事前・事後のネット上の反応で手応えがあった企画のなかから、これと見込んだら機を逃さず、一気に実現までもち込む。そのスピード感も大事です。

8

イメージを喚起するネーミング

キャンプ道具である「ねぶくろ」をタイトルとすることで、屋外で気軽に寝転びながら映画を楽しむ、というコンセプトが素直に伝わります。成功するイベントほど、タイトルはシンプルである場合が多い。直感的に「いいな」と思わせることができれば、こちらのものです。

9

その場所に合う映画をじっくり検討

企画・運営を担う唐品さんが重視しているのは、上映場所と映画とのマッチング。場所を提供する主催者と、じっくり時間を掛けて煮詰めます。ここがしっかりしていればこそ、告知段階で強い説得力をもたせることができます。ひいては、より多くの人に見に来てもらえることになります。

「ねぶくろシネマ」は、ベッドタウンである東京都調布市に、比較的最近住み始めたファミリー世代の課題から生まれた企画と言えるでしょう。事業化にあたり、ファミリー層をターゲットとする協賛者とマッチングできたことで、広く全国に展開するようになりました。招致する企業や自治体にとっては、所有する遊休地の可能性に気がつく機会ともなり得ます。こうした体験の積み重ねが少しずつでも、公共的空間の使いにくさ、使われにくさの解消につながっていくのではないでしょうか。ここでは企画・運営の視点でまとめた手法を紹介します。

10

機材や場所を企業が協賛

ファミリー層に訴求する「ねぶくろシネマ」では、そこに売り込みたいスポンサーを募ります。ただ企業名を入れるのではなく、協賛という位置付けで発電用の電気自動車や映写機といった機材を安く提供することで、企業側は製品と一体となった自然な宣伝効果を見込めます。

11

SNS 時代を意識して記録→発信

企画から告知までSNS中心で展開してきた唐品さんは、当日の写真やムービーも知り合いのプロにしっかり記録してもらいます。そうした素材を開催後に発信することで、次回に向けてつなげることができます。イベントは、事後の発信まで含めてイベントなのです。

12

徹底した定型化で負担少なく回せるように

企画書から告知バナー、会場の設えに至るまで、良い意味での使い回しができるようにフォーマット化を徹底。そうすることによって、平均月1回という頻度での開催を可能にしています。当日も運営に追われることなく、映画を一緒に楽しむことができます。

「子どもと一緒に映画を楽しみたい」

「ねぶくろシネマ」を企画・運営するのは、東京都調布市に拠点を置く（同）パッチワークス。同市内在住の父親ら４人が立ち上げた、デザインや企画の実施を通じて街の新たな価値を見つけ出す会社です。４人ともほかにデザイン事務所を運営していたり、空き家の活用に取り組んでいたりと本業をもちつつ、それぞれの職能を活かして活動しています。

その１人で「ねぶくろシネマ実行委員長」の肩書きをもつのが、男の子３人の子育て真っ最中の父親でもある唐品知浩さん。ねぶくろシネマ誕生のきっかけの１つは、唐品さんの「家族で一緒に、気兼ねなく映画を見たい」という思いでした。

「子どもが生まれる前は、妻と２人で映画を見にいったものですが、生まれてからは難しくなりました。映画館で騒ぎ出したらまわりに迷惑ですし、ついつい足が遠のいて」。親子で周囲に気を遣うことなく映画を見ることができないか、と考えていました。

一方で調布市は、古くから日活や大映の撮影所があり、映画産業で栄えてきた歴史を誇ります。市は「映画のまち調布」

2015年12月に多摩川の河川敷で開催された第１回目の「ねぶくろシネマ」

をキャッチコピーとして、映画を核とした街おこしに取り組んでいたものの、ねぶくろシネマが生まれた2015年前後は市内に映画館が1軒もなく、住んでいる人々にとっては「映画のまち」といわれても実感が乏しい状況でした。

アイデア出しから わずか2カ月で初開催

知り合いの市の職員から相談を受けていたこともあり、パッチワークスは「調布を面白がるバー:映画のまち調布を面白がる」と題して、お酒片手に語り合うアイデア会議を企画します。2015年10月のことでした。フェイスブックで呼び掛けたところ、市内に住む30〜40歳代を中心として興味をもった人々が参加しました。

そもそも調布という街自体が、東京23区に隣接しながらも、古刹深大寺など古くからの寺社や自然が残るベッドタウン。ファミリーをターゲットにした新しいマンションが次々と建設されています。2019年時点の人口は約23万人で、ここ10年で1万人ほど増加。働き盛り、子育て世代の新住民が多いことから、地域での新しいつながりを求める層に響いたと言えるでしょう。

アイデア会議では、さまざまな意見が

東日本大震災の被災地である南三陸町の復興商店街での上映の様子

飛び交いました。なかでも「多摩川の河川敷の鉄道橋脚をスクリーンにした野外上映」というアイデアが盛り上がりを見せたと言います。屋外であれば、子どもが賑やかに駆け回っても大丈夫そうです。

会議に参加した市の担当部署の職員も乗り気で、河川敷の占用許可や、橋脚の所有者である京王電鉄(株)に許諾を得るために積極的に動きました。こうしてアイデア会議の開催からわずか2週間後には、テスト映写に漕ぎ着けることができたのです。夕刻、少し陽が陰ってきた橋脚に映る画面はコンクリートの質感も相まって予想以上にかっこ良く、「少しでも早くみんなに見てほしくなった」と唐品さん。その時点で河川敷が空いている日程は12月か翌年の3月の2択でしたが、善は急げとばかりに12月の開催を目指します。

そして屋外でのイベントには不向きな冬の開催となったことが、「ねぶくろ」の発見につながります。「寒いなかでも面白くやれる方法はないか。河川敷だから焚き火などは難しい。みんなが個々に暖かく過ごすことができ、どこの家庭にもありそうなアイテムとして家の中を見渡した結果、寝袋に行き着いたのです」(唐品さん)。

広々とした野外で、キャンプのように寝袋に入ってゆっくり映画を楽しむ。ねぶくろシネマというブランドはそうしたイメージとともに受け入れられ、全国に広まっていきました。

希少なファミリー向けコンテンツ

ねぶくろシネマは、2015年12月の初開催から19年末までの4年間で約40回と、平均するとほぼ月に1回のペースで開催しています。首都圏の商業施設を中心として地方からも声が掛かり、東日本大震災の被災地である南三陸町の復興商店街での上映も実現しました。入場料はほとんどの場合が無料。会場の規模に左右されますが、多くは1回当たり500人前後を定員としています。

野外映画という形式自体は古くからあり、取り立てて珍しいわけではありません。唐品さんは、「ほかの野外上映との違いがあるとすれば、そのとき・その場所に見合う映画を厳選して、観客の心に深く残る体験を提供できる点ではないか」と話します。

たとえば、満月の夜には、満月をバックにしたクライマックスシーンが印象的なSF映画『E.T.』。野球場での上映では、ある農夫が謎の声に導かれ、独りで球場をつくり上げるファンタジー映画『フィールド・オブ・ドリームス』といった具合。「あの満月の夜に河川敷で見た『E.T.』、良かったよね〜、というふうに、場所と一緒に記憶に残ることが、街への愛着につながればいいなと思います」(唐品さん)。

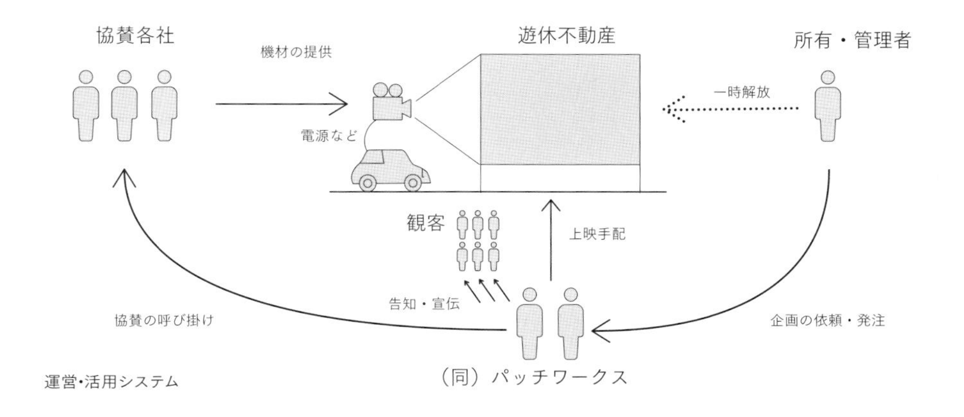

運営・活用システム

ねぶくろシネマでは2回目の開催以降、企業の協賛を付けるようになりました。資金面での協賛もありますが、それよりも必要な機材や場所の提供というかたちを歓迎しています【上図】。

「広告的な視点では、ファミリー向けの媒体は意外と限られています。家族連れで夜に集客できるイベントも少ない」と唐品さん。子育て層の集客力があるこの企画が、プロモーションの機会を求める自動車メーカーやマンションのデベロッパーのニーズとうまく噛み合ったと言います。

定型化を徹底、少人数で開催可能に

パッチワークスには遊休不動産を活用したい企業からの相談や、会場探しまで含めた依頼が寄せられます。料金設定は明快に1回あたりの基本料金を決めてあり、案件ごとに異なる上映費用や人件費は、その範囲内で吸収する立て付けです。「映画によっていくらになるかわかりません、では、依頼側が予算に組み入れづらい。企画書1枚で判断できるようにしています」（唐品さん）。

こうした定型化の工夫は、企画段階から当日の運営まで徹底しています。たとえば、事前に場所と映画の内容がリンクするようなマッチングに力を入れることで、当日会場内に特別な装飾をしなくても、自ずと成立するようになります。結果として、運営の手間が省けます。

依頼から実施までは平均して3〜4カ月。1カ月前をめどにプレスリリースを打ち、フェイスブックなどで告知を開始して当日を迎えます。当日は、パッチワークスの社員が2人いれば実施できるとのこと。ボランティアスタッフが手伝う場合もありますが、あくまで映画を見ながらできる範囲で、一緒に楽しんでもらうというスタンスです。

一緒に楽しむという姿勢は、来場者に

（左）子どもと一緒に気兼ねなく映画を見られるのが魅力。（右）軽食の屋台も楽しめる

対しても共通しています。「僕らはスクリーンをつくるから、お客さんは客席をつくってください、というふうに話しています」と言う唐品さん。サービスの受け手ではなく、一緒にイベントをつくり上げる感覚で共感を得ています。

機材の多くを協賛で賄う

1回の上映に必要なコストは、プロジェクターなどの機材費や会場利用料、映像のレンタル費、人件費といったところ。このうち大きく変動するのが、上映用映像のレンタル料金です。メジャーかマイナーかなど上映したい作品や映画会社によって設定がまちまちで、観客数や上映回数、無料上映なのか有料なのか、などの条件でも値段が変わってくると言います。

場所によっては、電源の取り回しが難しい場所もあります。そういう場合には、電気自動車を使って給電するとのこと。ガソリンで動く発電機と異なり音が静かで、アイドリングを規制する条例にも引っ掛からないので、映画の上映にはもってこいです。この電気自動車は、企業からの協賛による提供を受けています。映写用のプロジェクターも、企業の協賛です。

また公園の芝生広場など、場所によっては映写に適した壁面がない場合も。そうすると、スクリーン自体を設営する必要が出てきます。コンテナの横が大きく開くウイングトラックをレンタルして、そこに布を張る。あるいは、建築用の足場を木製にした「モクタンカン」というシステムを使って仮設のスクリーンを短時間で組み立てる、といった方法で対応しています。

じつはパッチワークスでは、ねぶくろシネマの立ち上げ期にクラウドファンディングに挑戦しています。上映に必要な機材を購入する費用として150万円の出資を募りましたが、あと一歩のところで及びませんでした。「最初に機材を所有

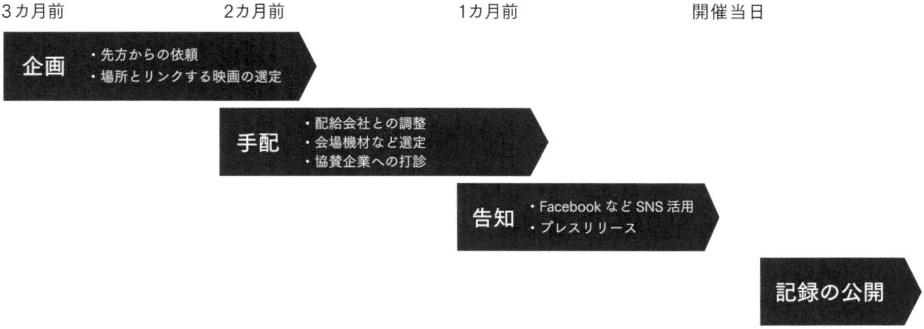

3カ月前	2カ月前	1カ月前	開催当日
企画 ・先方からの依頼 ・場所とリンクする映画の選定			
	手配 ・配給会社との調整 ・会場機材など選定 ・協賛企業への打診		
		告知 ・Facebookなど SNS活用 ・プレスリリース	
			記録の公開

「ねぶくろシネマ」準備スケジュール

して、希望する方に安くレンタルするという、どちらかというと公共サービスに近いイメージでした。成立しなかったことで、採算性を重視した事業として取り組む必要がある、と腹を括りましたね」と唐品さんは振り返ります。

公有地を使うことのハードル

これまで公園の芝生広場やキャンプ場、廃校となった小学校の校庭、野球場や競馬場などさまざまな場所を映画館に変えてきたねぶくろシネマ。民間企業が所有･管理する空間を使う場合は手続きは比較的スムーズですが、使用許諾が難しいのが公園などの自治体が管理する空間です。

とくに地方などの出先で開催する場合に欠かせないのが、地元団体との協力体制。「公園を使うのに自治体の後援が必要ということで、まったく関係ない場所なのに調布市の後援を取り付けてようやく使えた、というケースもありました」と唐品さん。担当者の異動によって、判断が揺れることもしばしばあるということです。「公共空間版の（レンタルスペースの仲介サービスである）スペースマーケットがあれば、ずいぶん助かると思います」と、笑いながらも鋭く問題提起します。諸所のハードルでまだ実現していない企画もあるそうで、どのように乗り越えて実現するのか、今後に期待が膨らみます。

文：樋口トモユキ／取材協力：ねぶくろシネマ実行委員長・（同）パッチワークス 唐品知浩

ねぶくろシネマ データ

主催者概要
（同）パッチワークス
設立年：2015年
スタッフ人数：4名
映画×アウトドア「ねぶくろシネマ」：
https://www.nebukurocinema.com

Chapter

社会実験型

Recipe 03

「実験フェス」でエリアマネジメントの事業可能性を検証

「さいたま新都心のパブリックスペースで未来の日常を体感しよう!」と謳った実験フェス「パブリックライフフェスさいたま新都心 2018」。このプロジェクトは、これまでの知見を注ぎ込んだ新たな社会実験への挑戦でもありました。

パブリックライフフェスさいたま新都心 2018(埼玉県さいたま市・さいたま新都心地区)

Method

パブリックライフフェスさいたま新都心2018の手法

13

現状をチェックし、ニーズを把握する

あなたの街のパブリックスペース。あなたはしっかり現状を把握しているでしょうか？ 当たり前なことでも、改めて現地に行ってみると新たな気づきがあるもの。客観的に街の現状をチェックをすることが重要です。「歩行者の数は？」「椅子に座る人は何をしている？」「現状に満足してそうか？」「街の人は何を望んでいるのだろう？」。いろんな視点をもちながら、現状をチェックしていこう！

14

調査にもとづき「仮説」をつくる

その社会実験や企画の目的は何でしょうか？「活性化のため？」それでは目的とはなり得ません。「実験的にこれに挑戦したら、こう変えられるのではないか？」。このような仮説から「だったらこう変えよう」という目的がつくられます。現状の調査から得られたことから仮説を組み立てることが社会実験の目的につながり、企画の骨組みができるのです。

15

企画を一緒につくるプロセスを描く

社会実験や企画を、事務局だけでつくっていないですか？ 少ない人数で企画を考えたほうが早くて効率的です。一方で大人数で企画を考えれば収集がつかない。しかし、関係する人の想いの詰まった企画にしていくプロセスも重要です。1人でも多く、この企画は自分の企画と思ってもらうことが大切なのです。一緒にニーズを把握する。叩き台をベースにアイデアを載っけてもらう。1人でも多くの人のアイデアで企画を補強していくといいでしょう。

パブリックスペース活用の社会実験が増えています。「パブリックライフフェスさいたま新都心2018」では、単なる一過性のイベントではないパブリックライフの日常化を目指し、プロジェクトデザインのなかで社会実験を位置付けています。現状診断調査やニーズ把握にもとづいて社会実験の企画をデザインし、関係者や利用者と一緒にプロセスを伴奏した、将来のビジョンに対し効果的な社会実験のつくりかたを、実行委員会ディレクターの視点で紹介します。

16

実験の効果検証をする

「で、効果はどうだったの?」とは必ず聞かれること。そこで「効果を何で測るか?」という評価指標と調査手法・項目の選択が重要で、手法13に挙げた現状チェックやニーズ把握がポイントとなります。「実験」で変える前の現状を標準値として、「こう変えられるのではないか?」という仮説と目的を設定する。あとはそれを表す評価指標と調査項目を考えればいいだけ。「笑っている人は何人いるか?」など簡単に確認できるものでも数字や客観的なデータにできれば十分です。

17

現場で関係者と評価をする

効果検証の分析には時間が掛かるし、いざ評価となるとみんなネガティブな評価をしがちです。課題ばかりを言われ、この実験は失敗だったのか? と錯覚してしまうことも。「振り返り会」などを実験期間の後半に設定することで、実際に起こっている風景を見ながら、より正確な評価が可能になります。もちろん課題も出るけれど、それも成果のうち。何が成果だったのか、関係者と振り返り、記録し、現場で評価していきます。

18

公費を抑え、多様な資金調達で関わりしろを広げる

社会実験は公費で賄いがちですが、行政の予算は市民の税金。説明責任が生じますし使える費目なども限られます。そこで、さまざまな関係者からお金を集めることも大切になります。またそれは関わりしろとなり、多くの人に関わってもらうチャンスともなります。その際、関係者ともメリットを確認・共有しつつ、メリットを提示していきます。出店料、協賛、広告、クラウドファンディングなど多様な資金調達の方法から適切なものを選び、お金とともに仲間を集めましょう。

再開発がひと段落したあと エリアマネジメントへと転換

埼玉県さいたま市に位置するさいたま新都心地区は、大宮操車場跡地を中心とした土地区画整理事業により、2000年に街開きをしました。さいたまスーパーアリーナや商業施設コクーンシティのほか、約2万人が就業する民間および官公庁の業務施設、病院などが立地しています。

この地区では、開発当初から地権者を中心に構成された「さいたま新都心まちづくり推進協議会」が景観コントロールやバリアフリー化など、街づくり活動を推進してきました。

街開き後約20年が経過した現在では、街の老朽化した基盤施設や歩行者

さいたま新都心駅前ということもあり、実験フェスの中心的ゾーンになった「PUBLIC LIFE DECK」。もともと同じ方向を向いたベンチはあったものの、テーブルや向かい合った椅子がなく、待ち合わせや1人で過ごすような限定的な利用しかされてい

系サインの更新、エリア一帯の情報発信、さらなるパブリックスペースの活用など、エリアの価値向上に向けた取り組み、つまりエリアマネジメントの必要性が高まっています。

エリアマネジメント主体形成のため実験フェスの実施を決定

さいたま新都心まちづくり推進協議会では、2017年よりエリアマネジメントの必要性を認識し、分科会での視察や勉強会などを実施してきました。

その後この会の任意のメンバーにより、2018年5月にエリアマネジメント検討のための組織「さいたま新都心エリアマネジメント検討会」(以下、エリマネ検討会)が立ち上げられると、以降エリアマネジメント検討に必要となるプロ

なかった場所。グループでの会話や仕事などで利用されることを目論み、60メートルのロングテーブル、屋台出店、案内所、PUBLICLIFEのチャンネル文字、エンゲージメントパネルを設えた

来街者を案内する受付

DIYで製作されたオリジナル屋台

手づくりのエンゲージメントパネル

セスは、エリマネ検討会を中心に進める体制になります。

この折に筆者はアーバンデザインセンター大宮のディレクターという立場から、このエリマネ検討会の運営を含めたエリアマネジメントの検討支援の業務を委託されます。のちには「パブリックライフフェスさいたま新都心実行委員会」ディレクターとして、実験フェスの企画・運営に関わることになりました。

エリアマネジメント組織を設立する際、組織や仕組みを先行して決めてしまうと「誰がやるのか? 何のためにやるのか?」という議論でストップし、具体的な事業に移れないことが往々にして起こります。そこでエリアマネジメント組織編成の前に、実験的に可能性を検証するための事業を実施することを決定しました。

まずは日常の調査を実施

実験フェスの実施が決まると、まずエリマネ検討会を中心に地区内企業の就労者を対象としたアイデア会議をワークショップ形式で開催しました。このワークショップでは計21名の参加者が4つのグループに分かれ、朝/昼/夜/休日における、街全体およびパブリックスペースの利用状況や、求める機能や場所について提出し、ニーズを把握していきました。

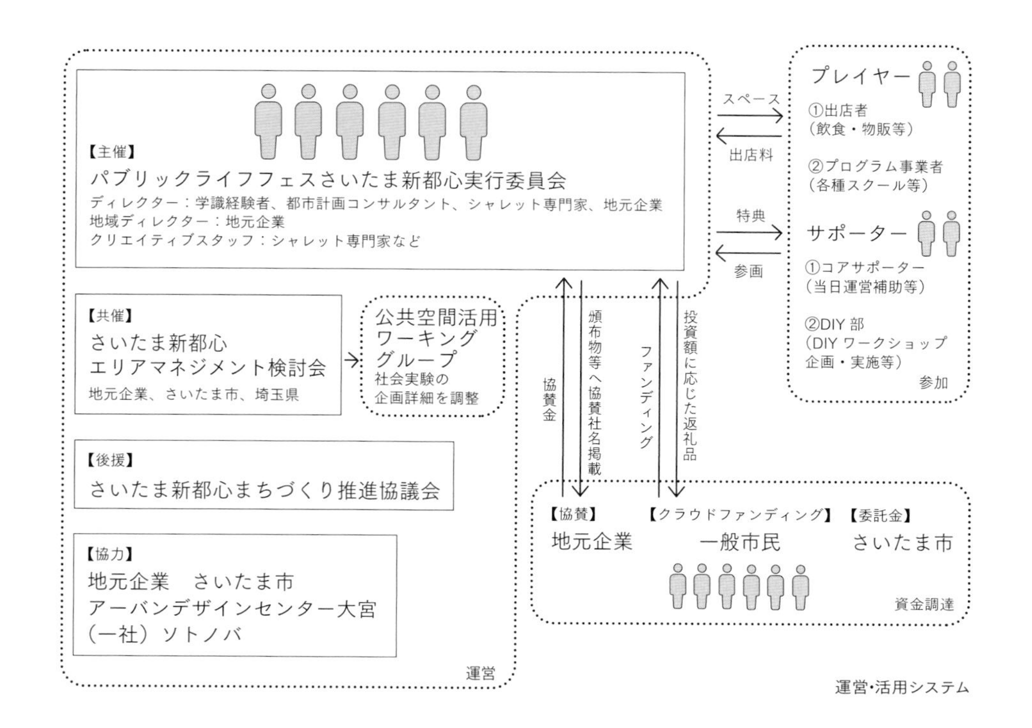

運営・活用システム

アイデア会議と並行して、日常時のパブリックスペースの状況を調査するために、アクティビティ調査を実施しました。調査日は平日／休日の計2日間で、その内容は「歩行者カウント」、「アンケート」、「アクティビティスキャン」、「環境評価調査（風）」の4種としました。

上記のアイデア会議とアクティビティ調査（日常）のデータを踏まえ、実験フェスの企画を検討するため、7月14日、15日の2日間にわたりパブリックスペースシャレット（シャレットとは、専門家が短期間に協同してデザインを行う、アーバンデザインやまちづくりの手法）を実施。若手専門家など約15名が企画案を作成しました。その後エリマネ検討会メンバーへの発表と議論の場を設け、企画が承認されました。

地元と専門家で体制づくり

アイデア会議ののち、実験フェスの実施体制がつくられました。

まず主催はパブリックライフフェスさいたま新都心実行委員会（以下、実行委員会）が担うことになりました。実行委員会はディレクターとして筆者のほか、（一社）ソトノバの荒井詩穂那さん、都市計画コンサルティング会社の昭和（株）から堀江佑典さんと谷村晃子さんらが参加。そのほか地域ディレクターとして地元企業が、クリエイティブスタッフとしてシャレット専門家などが参加する構成としました。実験フェスでは全体の空間デザインや組み立て、コーディネートを手掛けています。

エリマネ検討会は共催として、事業全体の意思決定の場となり、この検討会の分科会である「公共空間活用ワーキンググループ」が実務ベースの調整を担うことになりました。

そして実行委員会のディレクターチームと地域協力団体・企業・行政で、この事業を推進するという体制ができました【p.052下図】。この体制づくりでは、スムーズな意思決定が可能となるよう留意しました。

準備段階も参加型を徹底

7月にエリマネ検討会での企画の承認を得てから、その後約3カ月間というタイトなスケジュールで、実験フェスのための資金調達、空間デザイン・製作が参加型プロセスで実施されました。その一端を紹介しましょう。

8月には参加型プロセスを採るというコンセプトから、公開のキックオフミーティングが設けられました。実験フェスでこれから行うこと、想いなどを市民と共有する機会となりました。

8月から9月に掛けては、参加型プロセスの実践と実験フェスの資金調達方法の新たな挑戦のため、クラウドファンディング

(写真上) 緑豊かなパブリックライフを過ごす場所を目指した「GARDEN DECK」。ニューヨークの公園「ハイライン」をモデルに、パレット、地元の見沼田んぼとのつながりを意識した植栽、照明などを設えた。商業施設に隣接していることもあり、とくに休日にはファミリーやカップル、女性に多く利用された　(下) 日陰をつくるタープと、リラックスチェアを設えた「SHADE DECK」。日陰のない時間帯にアクティビティがないという日常のアクティビティ調査の結果から提案された。実験フェス時には、昼寝をしたり、読書をしたりなどゆったりした時間を送る人が多く、まさにパブリックライフを体現する場所になった

を試みました。特典には、参加グッズのほか、実験フェス時に参加可能な体験チケットなどを用意しました。

このクラウドファンディングに申し込んだ人の参加特典の1つとして、DIY部の参加権を設けました。DIY部は屋台など実験フェスに使用する備品をDIYで製作するためつくられたチームです。チームでは土日にDIYデイを設け、製作を進めました。

またこのDIY部ワークショップのほか、駅に面した東西自由通路ではチェアペイントワークショップも開催しました。これは実際に使用する椅子にペイントするというもので、その場で立ち寄った人もペイントに参加してもらいました。市民や来街者に、街や実験フェスに愛着をもってもらうため、プレイスメイキング(詳しくはp.068)のプロセスの1つの試行として実施しています。

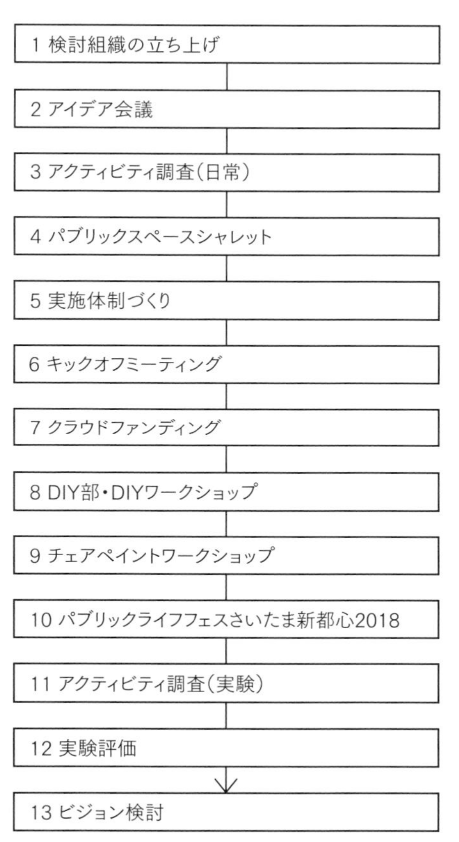

参加型プロセスでの実施の流れ

期間中の調査で効果検証

「パブリックライフフェスさいたま新都心2018」は2018年10月、10日間にわたり実施されました。パブリックスペースシャレットの企画骨子をベースに、それぞれテーマを設けた6つのゾーンに分け、さまざまな演出を加えました。

この実験フェス期間中には、この実験の効果や仮説を検証するため、いくつかの調査や評価を行いました。

期間中に実施したものの1つには、先に行われた日常時のアクティビティ調査と同様の調査があります。調査は10月19日・20日の平日・休日の2日間。日常時と同じ調査をすることで日常と実験の変化を測り、実験の効果を検証することを狙いとしています。

また実験フェスに対する「利用者エンゲージメント」(244件)と「出店者アンケート」を実施したほか、検討会メンバーとの振り返り会を開催し、空間を体験したメンバーからの評価を収集しました。

実験フェス終了後には、実験結果の分析と検討会メンバーからの評価を募り、成果と課題をまとめました。

街のビジョンの検討

実験後はエリアマネジメント組織を具体化するための足掛かりとして、さいたま新都心の将来像とエリアマネジメントの戦略と戦術をとりまとめた「エリアマネジメントガイドライン」案を、エリマネ検討会で策定しました。ガイドラインの策定にあたっては検討会メンバーを対象としたワークショップと、ガイドラインワーキンググループでの3回の議論の場を設けました。

また街の将来像となるビジョン検討に際しては、エリマネ検討会において、街の魅力と課題、SWOT分析、戦略、戦術(事業)、組織体制案を盛り込みました。今後はエリアマネジメント組織の設立に向けて、経営計画の立案などを予定しています。

公費を抑えたさまざまな資金調達

今回の実験フェスは、さいたま市の委託で実施した部分と、実行委員会主催で実施した部分に分かれます。さいたま市の委託で実施できる実験フェスの規模では、さいたま新都心の広大なデッキ空間に対して規模が小さ過ぎて存在が薄れてしまうことから、実行委員会主催の実験フェスを実施することになったためです。

実行委員会主催の実験フェスでは、広告、クラウドファンディング、屋台の出店料などで資金を調達しました。地元企業への広告出稿や屋台出店は、エリアマネジメント事業の可能性を検証する意味もあります。

収支は収支表の通り、協賛、広告、クラウドファンディング、屋台の出店料などで資金を調達、全体で600万円に抑えるかたちとなっています【p.057右上図】。

支出は、什器など空間づくりに関わるものの製作費が大きく、そのほかではチラシやロゴ作成、写真撮影費用など広報関連も大きな割合を占めています。空間づくりにまつわるデザイン費や製作費などの初期投資が大きい点は、継続的な実験や日常的な活用の場合とは異なるところです。収支表には盛り込んでいませんが、実際にはこのプロジェクトを動かすスタッフの人件費も掛かっています。

今回のような社会実験で公費に頼らない事例は、まだまだ全国的にも数が少ないと思います。エリアマネジメント組織や事業の検討を目指しての実験ということもあり公費に頼らない取り組みの必要性が地元や関係者のなかで認識され、地元企業が主体となって実行委員会を立ち上げ、自ら資金を調達し、豊富な企画を用意し、エリアマネジメントの事業性を検証しました。

エリアマネジメントの有無に関わらず、社会実験後の空間整備や政策への反映など、その後のステップを考えれば、公費のみを前提とした事業体制では継続性が危ぶまれます。今回の実験フェスでは、資金調達の実験をしたとも言え、それ自体大きな成果ではあります。今後は最終的な場の運営などを見据えた、さらなる挑戦が必要だと思います。

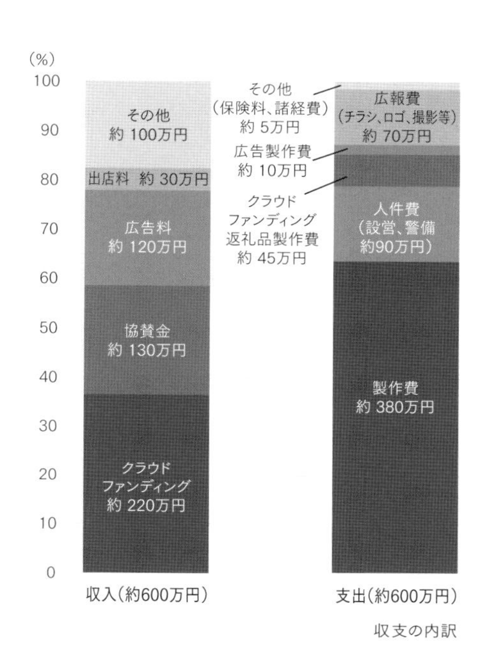

収支の内訳

企業や行政と進めるうえでの課題

参加型実験フェスでは、参加し関わりたいという市民の機運を高めること、そして街やプロジェクトへのファンをつくることがとても重要です。今回の実験フェスでは準備期間の短さもあり、それらを十分に温められたとは言えません。今後のエリアマネジメントのなかで、意識し育てていくことが必要となるでしょう。

また企業側にとっては、短期間での進行に臨機応変に対応することがなかなか難しかったようです。エリアマネジメント組織がつくられていく際に必要な仕事を分担するなど、各社でどのような役割を担えるのか試行錯誤しながら経験を積み上げていく必要があると感じます。

エリアマネジメント組織を担う人の主体性を引き出すことも、難しい課題です。担当者単位では主体性をもっていても、企業としての主体性を引き出すのは難易度が高いことではあります。

そして行政としては、公民で連携しながら進めていくため、公費の扱いの区分けが必要となります。加えて許認可以上のことを実現させるために、行政が果たすべき役割も早期に整理しなければなりません。

また行政の職員は異動のスパンが短く、多岐にわたる業務に携わるため、担当職員が公共空間活用の知識を豊富にもっていることはあまり多くありません。だからこそ行政職員は、公民連携やエリアマネジメントに対する理解を深めること、さらには専門の部署の設置を検討するなどの必要があるように思います。

人工芝と子どものおもちゃを置いた「PLAY DECK」。もともと、やや傾斜があるためものが置きにくく使い方が難しかったスペース。さいたま新都心地区には、買い物やイベントに連れて来られた子どもたちの遊ぶ場所がないという課題から提案された

ワーカーが仕事や休憩をするための可動椅子やテーブル、そしてビル風を利用した仮設風力発電とPC・スマホ充電を設えた「NOMADO DECK」。朝の出勤時間帯にはカフェの屋台を出店した。オフィスビルの前でビル風が強いエリアだが、平日はワーカーに、休日はファミリーや若者に利用された

けやきひろばの日常の活用可能性を探るため、アウトドアオフィスやビリッカー、バスケ、ヨガでの利用ができるよう、椅子・テーブルそのほかの備品を設えた「RELAX DECK」。立地の関係もあり平日の利用は限定的だったが、休日は若者を中心に利用された

広報用イラスト

＊街やパブリックスペースの調査をするとき、調査項目はそのプロジェクトの目指すゴールによって自身で設定する。仮説や実施内容が何かにより、得たい結果が決まる。調査方法や基準などは、以下の資料を参考にされたい。　○『ストリートデザイン・マネジメント：公共空間を活用する制度・組織・プロセス』（出口敦、三浦詩乃ほか編著、泉山塁威ほか著、学芸出版社）　○『オープンスペースを魅力的にする―親しまれる公共空間のためのハンドブック』（プロジェクトフォーパブリックスペース著、加藤源ほか翻訳、学芸出版社）　○『パブリックライフ学入門』（ヤン・ゲール、ビアギッテ・スヴァア著、鈴木俊治ほか翻訳、鹿島出版会）

実験から
日常のパブリックライフへ

今回の実験では、筆者を含め関係者一同、一定の達成感を得ることができました。今後はエリアマネジメント組織を設立し、エリアマネジメント事業やパブリックスペース活用を進めていくことになります。パブリックライフを支える仕組みづくりや資金集め、運営などを実施する日常的な体制の構築には、まだまだ難しい挑戦が必要となるでしょう。今回の実験で得た知見をもとに、新たな実験にトライし続けてもらいたいと思います。

文：泉山塁威

パブリックライフフェス
さいたま新都心 2018 データ

主催者概要

さいたま市（さいたま市部分）、
パブリックライフフェスさいたま新都心実行委員会
（さいたま市部分以外）
組織形態：実行委員会は任意団体
プロジェクト活動開始：2018 年 7 月
スタッフ人数：実行委員会 約 20 名
パブリックライフフェスさいたま新都心 2018：
http://www.shintoshin.saitama.jp/publiclifefes2018/

地域概要

対象レベル：地区レベル
対象面積：約 47.4ha
地域特性：首都圏都心部
用途地域：商業地域
活用制度：無

パブリックライフフェスさいたま新都心2018の準備スケジュール

パブリックライフフェスさいたま 2018 の実施が正式決定したのは 2018 年7月。パブリックスペースシャレットで立案された企画が「エリマネ検討会」で承認されてからのスタートです。それから10月末のイベント当日まで、準備期間は約３カ月という

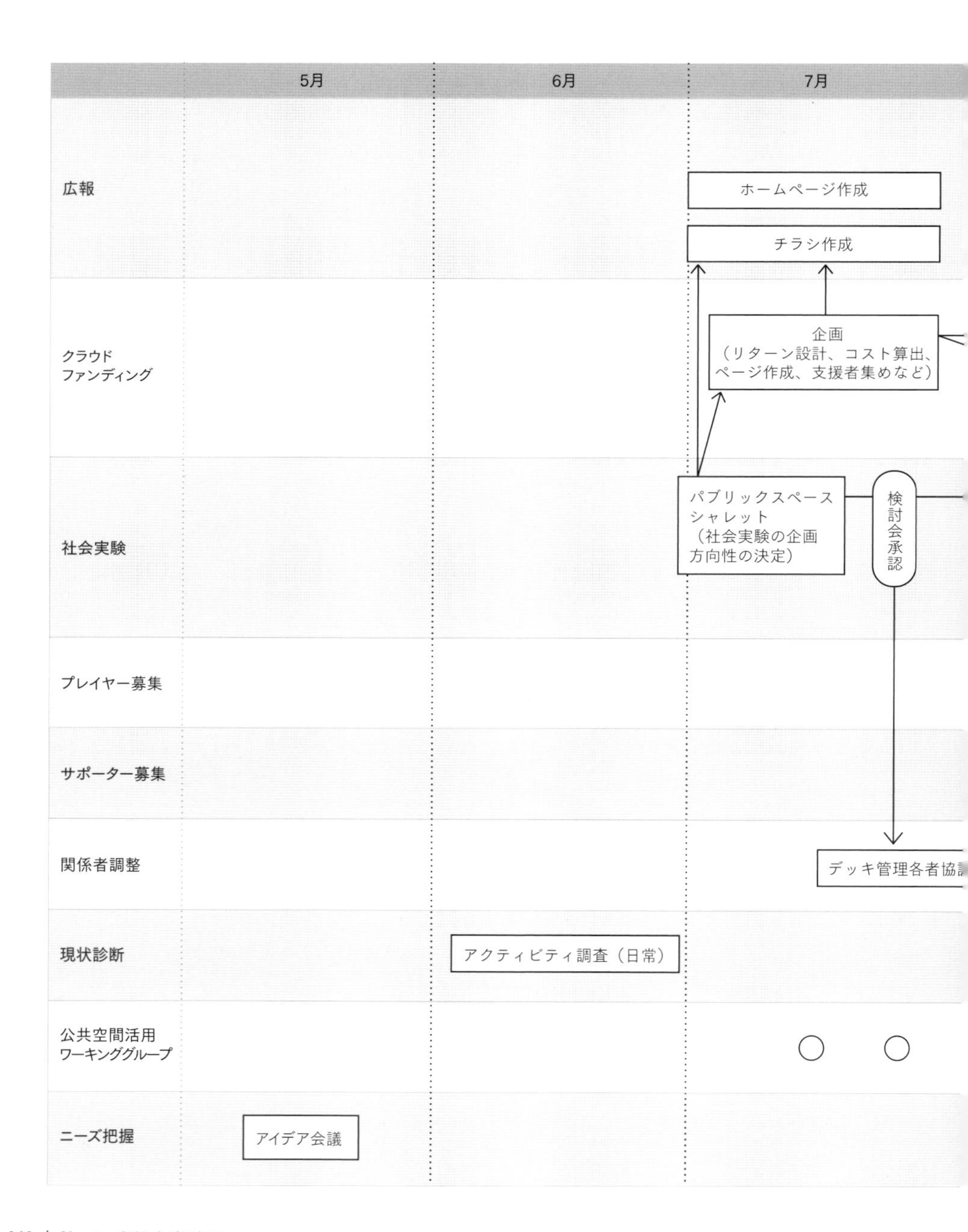

タイトなスケジュールでした。
このプロセスのポイントは、日常時のアクティビティ調査と利用者参加のワークショップで、現状とニーズの把握を行ったこと、そしてこの結果が実験時のデータと比較できるということです。

この日常時に得られたデータをもとに仮説を立て、企画案を作成、クラウドファンディングや協賛での資金調達、広報、DIY、運営というプロセスを経ました。
また屋台やペイントチェアを参加型制作のDIYで行い、場の愛着を育てるプロセスも試行しています。

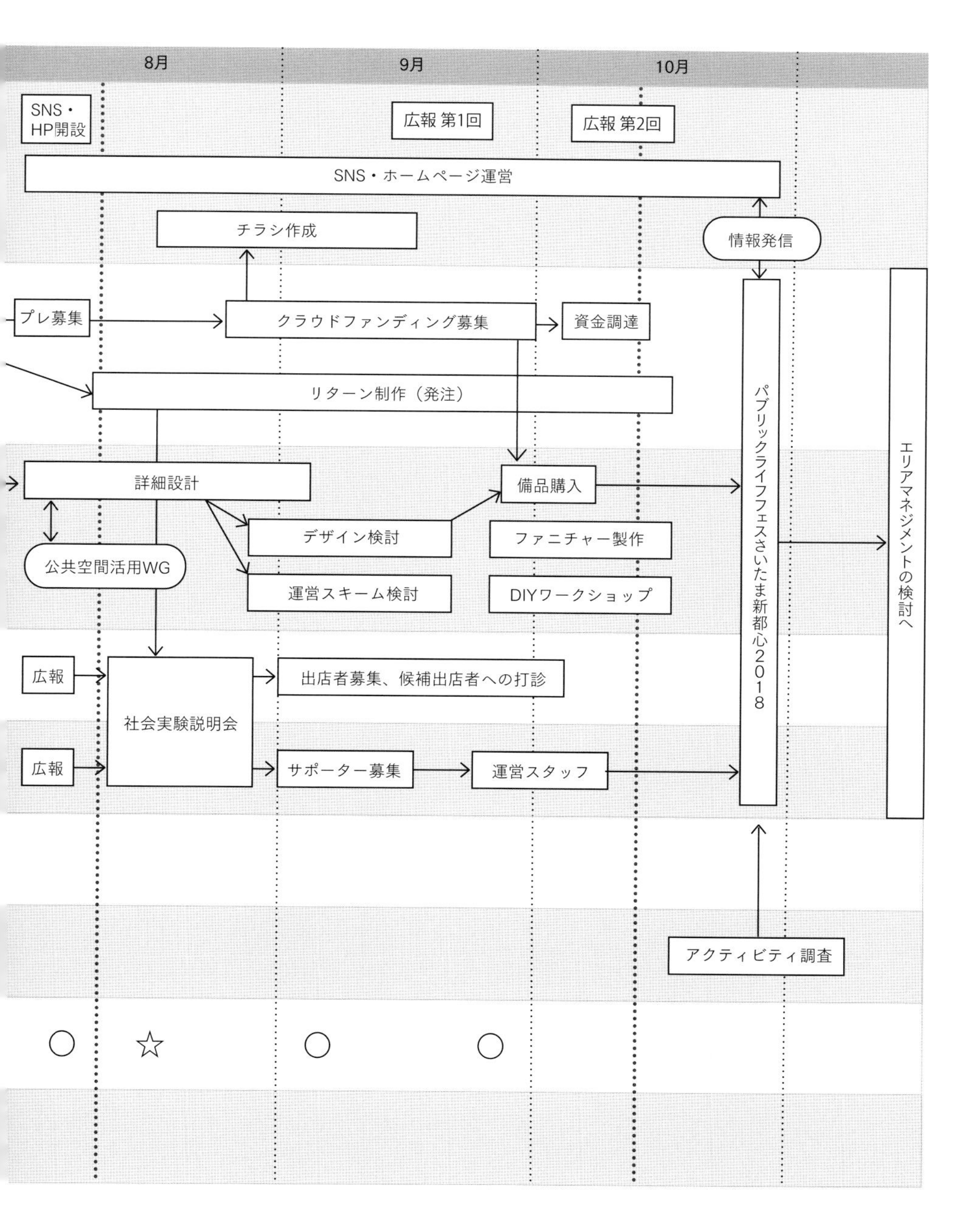

Recipe 04

都市再開発を踏まえ「つかう」視点から広場の担い手を育成

愛知県豊田市は世界的自動車メーカー、TOYOTAのお膝元としてその名が全国に知られています。人々の生活は車中心で、都心の公共空間を再整備する計画がもち上がった際、その場所は豊かに使われているとは言えない状況でした。そんな中心部を人の活動で賑わう場所に変えていったのが、このプロジェクトです。

あそべるとよたプロジェクト（愛知県豊田市）

Method

あそべるとよたプロジェクトの手法

19
地元の
キーパーソンの声を聞き、
一緒に考える

大勢の(「あそべるとよたプロジェクト」の場合は100人)の地元関係者にヒアリングを行い、地元の意見を聞いていきます。さらにそこから、積極的に参加してくれる人たちと一緒に広場のロケハンやアイデア出しのワークショップを重ね、市民参加型の企画設計プロセスを構築していきます。

20
管理者を束ねて
ワンストップ事務局で
利用を簡単にする

駅前広場や商業施設の公開空地などの各公共空間は公・民にまたがり、利用方法やルールもバラバラです。それぞれの管理者、なかでも裁量をもった人を集め、各空間を共通のルール、申請方法で使用できるようにワンストップ窓口を準備します。それによって、市民が利用しやすくすることを狙っています。

21
活用プログラムを公募、
プレイスメイキングの
方法を伝授する

「あそべるとよたDAYS」のイベントプログラムは、市民からの公募で集めています。実行力がありそうな人には積極的に声を掛けて、企画を出してもらいます。企画を出してくれた人にはプレイスメイキング術を伝え、企画者同士のつながりをつくる場としてセミナーを開き、振り返りの会で出た意見をフィードバックするなど丁寧にフォローすることで、広場活用の担い手の育成にもつなげていきます。

プレイスメイキングの手法を用いながら、都心の公共空間に豊かなシーンをつくり出した「あそべるとよたプロジェクト」。それらを実現させるには、複雑な条件を解きほぐしながら丁寧に準備していくことが必要です。 構想から実現までの手法を、プロジェクトに関わるアーバンデザイナーに取材しまとめました。

22

「遊ぶ」文化を醸成する

イベント実施者だけでなく、広場を「使う側」の市民の意識を変えていくことも忘れてはいけません。実験が終わってからも広場を使いこなすリテラシーを高めていけるような、新しい広場文化を戦略的に育てていくことも重要です。

23

条件を整えたうえで「デザイン監修者」プロポーザルを実施する

最終的にハード整備を伴う計画の場合、そのデザイナーをどのように選ぶのかがとても重要です。使う側の意識改革やプレイスメイキングの手法などを用いたソフト的なアプローチで、市民意識や使い方の質が高まっています。それらを活かすために、アドバイザーの設定やデザイナーの条件などを整えて、公開プロポーザルの枠組みまで設計しています。

24

小さなスケールの仮説的アプローチ・検証・評価を地道に積み上げる

人の居場所をつくることは、カフェに椅子を何台置くか、子どものための砂場をどこに設置するか、というような小さなスケールの空間の積み重ねです。仮説を立て、検証し、振り返る。これらのプロセスの繰り返しが、豊かなシーンをつくり出すために大切です。

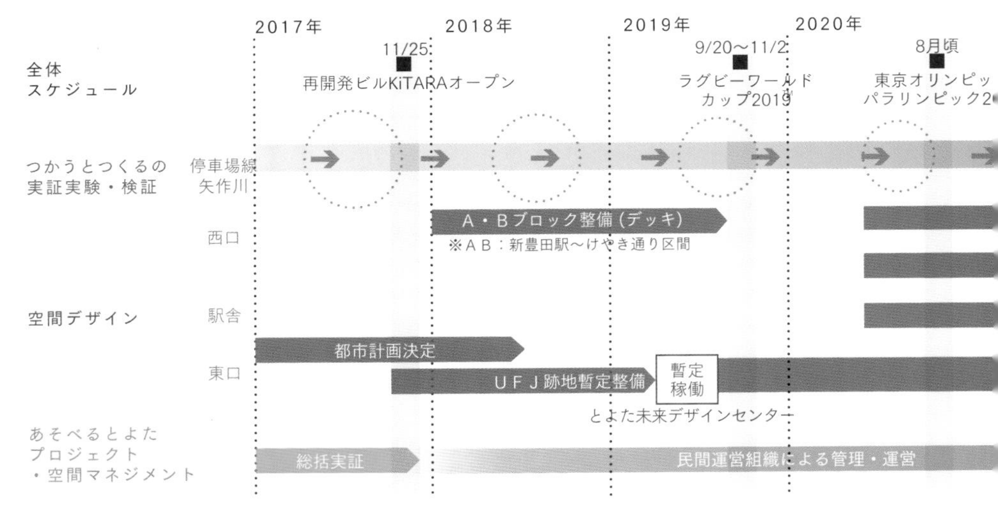

豊田市の「都心環境計画」に沿った都心地区の長期計画

トヨタ自動車企業城下町が「車から人へ」を宣言

豊田市は名古屋市の東に位置し、愛知県下最大の市域と県下2番目の人口約42万人を擁する中核都市です。中心市街地には一級河川矢作川が流れ、中山間部には古い街並みが残る足助地区や農村形態を残す旭地区などがあり、豊かな自然と深い歴史に立脚してます。その一方で、トヨタ自動車（株）の企業城下町としてその名を全国に知られています。就業人口の約7割がトヨタ自動車関連の仕事に従事しているとも言われ、その都市のつくられ方も車中心と言っていいものでした。

そんな豊田市が、2027年のリニア中央新幹線開業に向けて、2015年に「都心環境ビジョン」、2016年に「都心環境計画」という12年間の計画期間をもつ長期計画を策定しました。これは、名古屋鉄道三河線の豊田市駅と愛知環状

STEP 1　KiTARA オープン時（2017年11月）

STEP 2　ラグビーワールドカップ 2019 開催時（2019年9月）

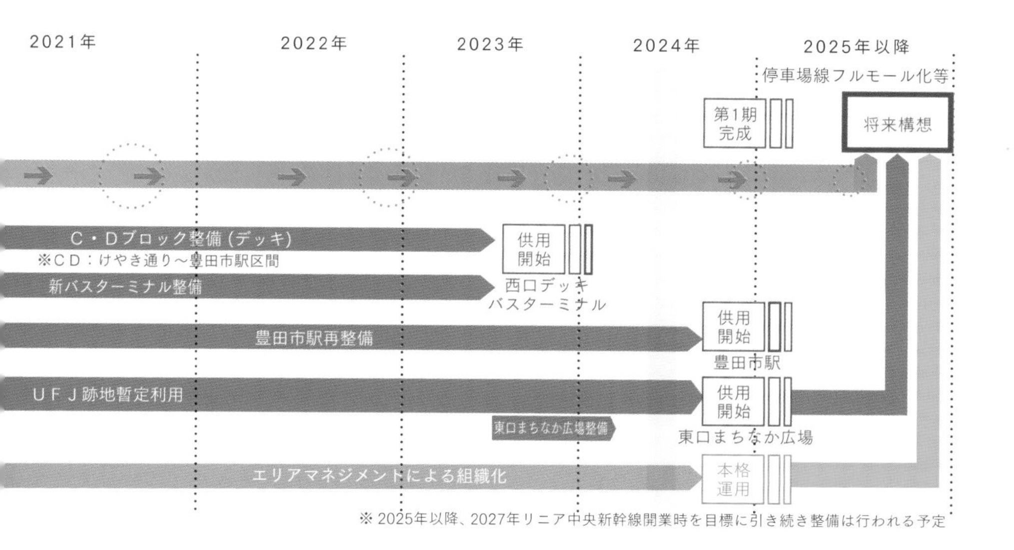

鉄道線の新豊田駅を中心とする都心地区の公共空間における、総合的な整備と活用を示すものでした。ここで画期的だったのは、車中心の街づくりを脱却し、街の主役を「車から人へ」と転換を図ろうと宣言していることです。

この計画では、前述の2駅間をつなぐ交通ロータリーを歩行者専用広場につくり変える工事など、大規模な土木事業も含まれています。それらの工事が全部終わってから誰も使わない空間ができてしまわないように、「つくる」と「つかう」取り組みの両輪で設計と実験・検証を進めています。2017年10月には、その具体的な空間計画を示す『都心の未来デザインブック(豊田市都心地区空間デザイン基本計画)』が策定されました【上図】。

「あそべるとよたプロジェクト」は「つかう」取り組みとして実施されたもので、そのキーパーソンの1人がプレイスメイキングの手法を用い豊かなシーンづくりを担った、都市プランナーの園田聡さんです。

STEP 3 当面の目標(2025年頃)

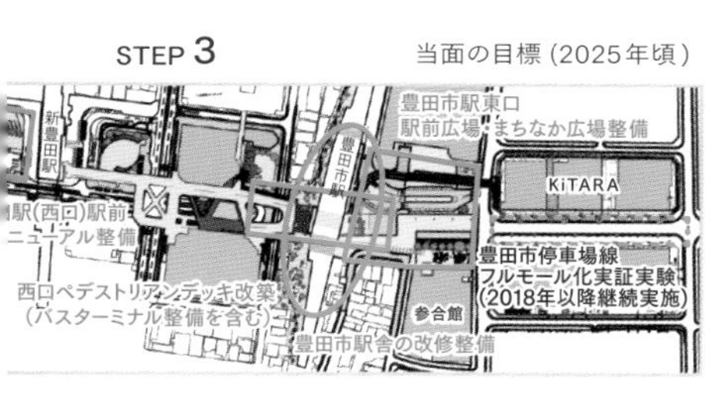

STEP 4 将来の構想

「つかう」チームを結成

2016年に策定された「都心環境計画」ですが、この企画立案を先導したのが豊田市経営戦略室(当時)の栗本光太郎さんです。栗本氏が都市計画家のヤン・ゲールさんや園田さんの講演を聞いた際にプレイスメイキングの概念を知り、「豊田でやるべきはこれだ」と感じたことが、このプロジェクトが始動するきっかけとなりました。プレイスメイキングとは直訳すると「場づくり」ですが、空間の居心地を良くすることで賑わいを生み、魅力を増し、街の価値を上げたり、愛着を生み出すための理念や手法を意味しています。

これを実現するため豊田市は2015年、公共空間の活用に関するプロポーザルを実施。園田さんが現在所属する都市計画コンサルティング会社(有)ハートビートプランが勝ち取ったところから、このプロジェクトが具体化していきます。

まず彼らは、豊田の街の面白い人100人に話を聞きに行きました。そこから絞った30人ほどの有志と街なかの使えそうな公共空間をロケハンし、どのように使うことができるかブレインストーミングを行いました。そのチームには、街づくり会社のスタッフや建築家、飲食店オーナーなど多様な業種からメンバーが集まりました。「彼らと話していくと、豊田の人々はとても真面目なんだってわかりました。とくに工場勤めだと、毎朝のアルコールチェックに引っ掛からないよう、平日の夜には飲み歩かない。その代わり、金曜の夜に1週間分まとめてお酒を飲むんですね。ですから居酒屋は平日はガラガラなのに週末には満席になる。そんな地域文化がわかってきました。そこで、真面目ななかにももっと遊び心をもとうよという意味を込めて、メンバーの皆さんがこのプロジェクトに『あそべるとよたプロジェクト』と名前を付

行政	民間広場管理者	地元組織
土木管理課 新豊田駅前広場・豊田市駅西口デッキ下	豊田市駅前開発(株) 参合館前広場	(一社)TCCM (中心市街地活性化協議会)
公園緑地管理課 桜城址公園	豊田市駅前通り南開発(株) コモ・スクエアイベント広場	崇化館地区区長会 ※2016年度より
商業観光課	豊田市駅東開発(株) ギャザ前広場	
	豊田まちづくり(株) シティプラザ	

＊広場名は管理広場のこと

事務局　豊田市都市整備課
ペデストリアンデッキ広場 / 喜多町三丁目ポケットパーク

あそべるとよたプロジェクト推進協議会準備会(のちに協議会へと移行)」の組織形態

けたんです」と園田さんは振り返ります。

「つかう」チームの事務局は豊田市都市整備課が担い、彼らが中心となって「あそべるとよたプロジェクト推進協議会準備会」(2016年に協議会に移行。以下、協議会)【p.068 下図】を立ち上げました。

この協議会には、豊田市(都市整備課、土木管理課、公園緑地管理課、商業観光課)のほかに地元の民間開発会社や地区区長会、そして中心市街地活性化協議会の推進組織(一社)TCCM (Toyota City Center Management、2018年より都市再生推進法人に指定)が参加しました。

そして協議会事務局の業務は2017年までハートビートプランがサポートし、行政や警察との協議、イベント実施者への啓蒙啓発、広場管理者の取りまとめなどを行いました。2018年からは、これら管理・運営業務を都市再生推進法人となった(一社)TCCMが引き継いでいます。

あそべるとよたDAYS 2015開催

2015年度に実施された「あそべるとよた」の具体的なフィールドは、ロケハンで目星を付けた9カ所の広場です。ペデストリアンデッキ上の歩行者通路、市有地や民間ビルの公開空地などを「まちなか広場」と呼んで、ワンストップで利用申請ができるような窓口をつくりました。先の協議会は、実証実験の1カ月の間、共通のルールで運用できるよう整えられたもので、各広場の管理者が所属するこの会のなかで運用に関する検討と決定を行いました。

そして市民から活用プログラムを募り、実証実験「あそべるとよたDAYS 2015」(2015年10月9日～11月7日)としてカフェ、朝ヨガ、ジャグリングなど31の多様なイベントが開催されました。すると親子でスケートボードを楽しんだり、普段は喫

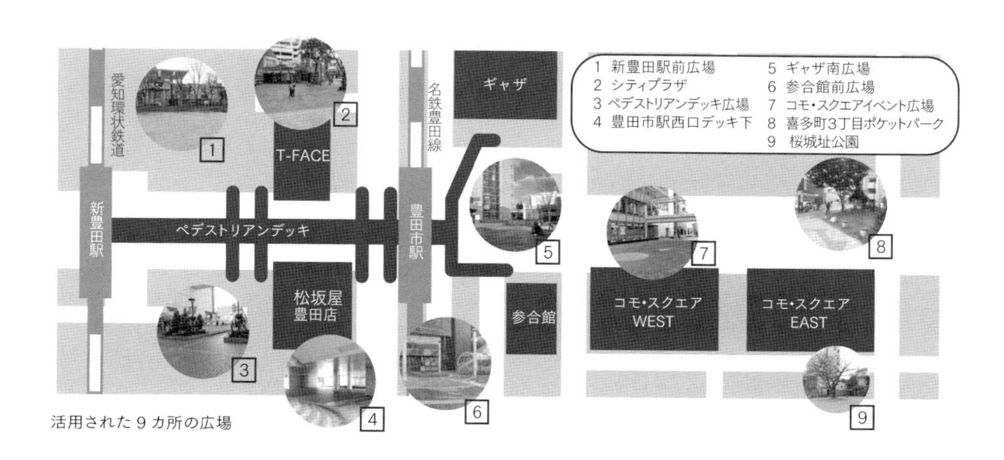

活用された9カ所の広場

煙所としか使われていない場所に学校帰りの中高生が集ったりと、空間の使われ方が如実に変化しました。

ここで目指したことは、単にイベントを消費者的に楽しむユーザーを増やすことではありません。広場の担い手、つまり場づくりを企画して運営までできる主体を育てることが目的でした。

そのため募集から実施までの間に企画者向けの講座を開催し、マニュアルを渡すことで、プレイスメイキングの心得を伝えました。最初は抵抗もあったようで

初年度のプロジェクト協力メンバーたち

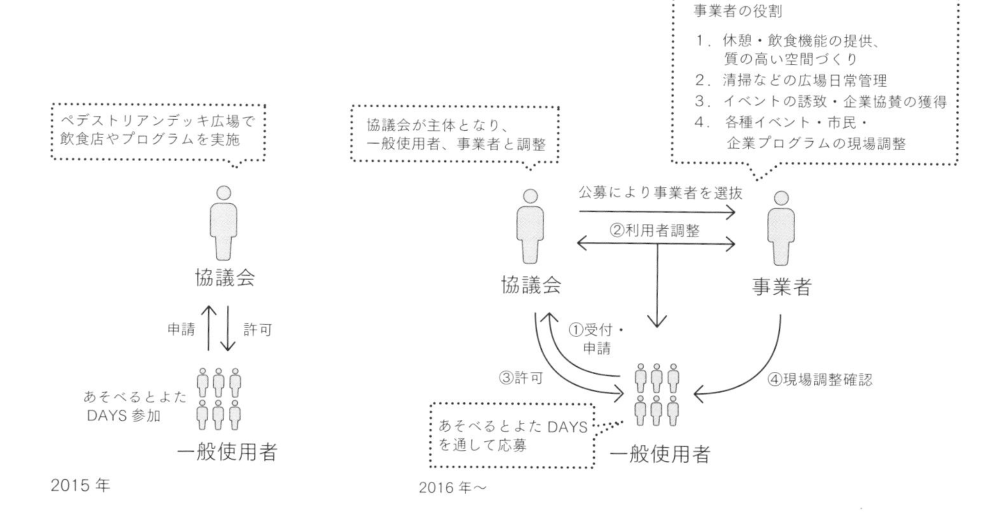

すが、「責任を担ってもらうことで自由も増やす」という思想を伝えたことで、受け身な態度から当事者としての姿勢へと変化が起こったそうです。また、フィードバックを得るための振り返り会も実践してもらいました。

それぞれの応募者には、実費負担での参加をお願いしていることも特徴です。事前に用意されたブースに出店するのではなく、協議会に利用料を払い、必要な機材や設備も基本的に自己負担（一部材料費の補助あり）としました。

ペデストリアンデッキ広場でカフェを営業

あそべるとよた DAYS 2015 で利用された 9 つの広場のうち、ペデストリアンデッキ広場（西口デッキ広場）では、カフェ & バーを営業したり、イベントを開催したりしました。

ここでは事前の企画段階で、プレ実証実験として「座れるデッキ WEEK」が実施されました。ただの歩行空間だったこの広場にテーブルと椅子を設置し観察したところ、親子連れや高校生の利用が見られたことで、あそべるとよた DAYS 2015 につながったそうです。

またこの場所は、そもそも道路法と道路交通法が適用される「道路」であり、そのままでは常設物の設置が難しい状況でした。そこで企画の実施前に、公物管理法上の位置付けを地方自治法にもとづく普通財産へと変え、運用基準で運用する「広場」へと変換して規制緩和を図りました。

あそべるとよたプロジェクトの広場の

設えについては、前述のように個々のイベント実施者による負担です。ここに設営した仮設カフェも、市から20万円ほどの材料費のみ補助があったものの、運営者はその他の経費をすべて自己負担で実施しました。それでも「街のためになるなら」という思いをもつ飲食店オーナーが手を挙げて、「再整備後にもカフェで得た知見を空間デザインに反映することなどを約束して」出店してもらったそうです。

この仮設カフェは2015年度には3カ月間営業し、翌年には市が買い上げたコンテナをリースするかたちでバージョンアップさせ、さらに半年間営業を継続しました。この実験によって、カフェの売り上げで広場の維持管理や貸し出し業務運営の一部を賄える可能性を見出すことができました。このカフェの損益計算書を仔細にチェックすることで、事務局が確信をもって評価できたとのことです。

4種類の広場活用法

2015年度のあそべるとよたDAYSで活用された9つの広場は、その利用結果を踏まえて2016年度には4種類の活用法に分けられ、それぞれの属性にあった取り組みが実施されました。

そのタイプの1つめが「統一窓口」による広場活用。これは9つの広場すべてが該当するもので、前年度にも同様に統一窓口で受け付けていましたが、活用の募集期間を延長し、最終的に通年で募集することになりました。これは屋外での活動に適した時期だけではなく、年間通しての広場の使い勝手やニーズを知るためです。

同時にユーザーとしての市民にも、この実証実験期間を通して、天気のいい日はヨーロッパのように広場に出て「遊べる」ことを体感してもらう。そして公共空間を使い倒す文化を醸成する、あるいは本格的に整備された暁に、「待ってました」と広場を使ってもらえるようにする狙いもありました。

広場活用の2つめが「収益事業型」で、先ほどのペディストリアンデッキ広場が該当します。

3つめが、自ら投資し活用を図ろうとする広場管理者を支援する「管理者支援型」の広場活用です。ここでは可動式のストリートファニチャーの設置や、仮設的空間整備が想定されています。

ほかに「担い手発掘・育成型」の広場活用があります。これは民間の投資対象になりにくいと想定された新豊田駅東口広場を活用するためのもので、「ハーフメイド」と呼ばれる手法で整備されました。基本となるインフラや舗装、植栽などの最低限の設備を整備し、その後実際に使いながらニーズに合わせて改修を進めるというものです。2015年度にスケートボードなどのストリート・スポーツ系の企画が実施されていたため、2016年には「ストリート・スポーツなどの目的性の高い用途を軸にする」ことが決まり、2019年度に無事リニューアルオープンを果たしました。

それぞれ2015年度、2016年度の成果をもとに、2017年度以降も試行を重ねています。公民連携による持続可能な広場の運営体制づくりを先行して進め、順次整備工事に着手する予定となっています。

デザイン監修者をプロポーザルで決定

あそべるとよたプロジェクトを通して包括的に使えるようになってきたそれぞれの広場の再整備にあたって、「デザイン監修者」を決めるためのプロポーザルを設定したのも、「つかう」チームの功績です。「せっかく一体感が出てきた公共空間を別々の事業者に発注してしまっては、それまでの積み重ねてきた実績も、市民から得た信頼関係も水泡に帰すことになってしまいますから」と園田さん。そのため市と検討を重ねながら、プロポーザルの要項や条件、アドバイザーの依頼まで体制を整えて、2015年度末にデザイン監修者の公募プロポーザルが実施されました。このプロポーザルの結果、土木系大手設計事務所の(株)日建設計シビル、ランドスケープデザイン事務所の(株)スタジオ　ゲンクマガイ、建築設計事務所の(株)WAO渡邉篤志建築設計事務所、(株)エイバンバらで構成された「カスタマイズとよた」チームが選ばれ、市民とのワークショップを繰り返しながら、駅前空間の設計を進めることになりました。

それぞれの立場なりの覚悟を決める

今回のように公民連携で公共空間の活用を図るために重要なのは、行政、民間プレイヤー、プロデュース側それぞれが「覚悟を決める」こと。そして立場によってその「覚悟の決め方」が違うということを最初に共有することが大事だと、園田さんは考えています。たとえば民間プレイヤーは街を良くするためにと自腹を切って出店し、イベントに臨みます。その覚悟に対し、行政は整備計画への反映や、次年度の実施の約束というかたちできちんと応答する必要があります。

「市の担当者の移動や単年度予算であることを理由に、約束ができないというケースも多く目立ちます。ただ、もともと民間事業者だけでうまく稼げる場所は、放っておいても市場が成り立つということなんですよね。行政がもっている公共地の経済を動かしていくには、パブリックマインドの共有ができる事業者といかにリスクをお互いに取り合えるか、それが相互の

（左）「収益事業型」の活用がなされたペデストリアンデッキ広場（西口デッキ広場）。「あそべるとよた Days2015」と「2016」では、広場にコンテナ店舗を設置しカフェを営業、収益での日常的な管理運営を行う仕組みの試行と検証を行った（右上）買い物客が通り過ぎるだけの空間だった既存の様子 （左下）将来的には、飲食・物販など民間事業者のノウハウを活かし、行政によるハード整備とともに公民連携による広場整備を行う

信頼を醸成することにつながっていくと思っています。その覚悟をもてるかどうかが重要です」と園田さんは言います。

また仮設的な実証実験であっても、空間の質をコントロールすることも大切だそうです。最初にきちんとかっこいいものをつくるという自負も、各プレイヤーがもつべき矜持と言えるでしょう。

公共事業から民間スペースに派生させる

2015年度から数年間にわたる実証実験を通し、豊田市中心部程度の人口規模と収益規模では一般的なエリアマネジメントは成立しにくいということがわかってきました。民間の地権者が自分のもっている広場のために再投資をし、それぞれの地権者が隣に負けないような空間の質の向上を競い合っていくように正の循環が働くことが適切。公共事業として口火を切り、民間のスペースにも派生していくことがあそべるとよたプロジェクトのゴールだと、園田さんたちは考えています。

巨額な予算を掛ける土木事業が背景にありつつも、家具的な小さなスケール（たとえばカフェに何脚椅子を置いて、子どもの遊び場をどんな配置にするのかというような）の仮設的アプローチと、それに対する検証と評価を地道に積み重ねていくこと。それが将来の豊かな都市の風景をつくると言えそうです。

文：西田司・小泉瑛一／取材協力：（有）ハートビートプラン 園田聡／参考図書：『都心の未来デザインブック（豊田市都心地区空間デザイン基本計画）』（2017年10月、豊田市）、『プレイスメイキング アクティビティ・ファーストの都市デザイン』（園田聡著、学芸出版社）

(左)「担い手発掘・育成型」 の活用がなされた新豊田駅前東口広場。「あそべるとよたDays 2015」では、スケートボードやスラックラインなどのストリートスポーツ企画を実施した　(右上) 4 面を道路に囲まれ人通りも少なくあまり使われていなかった既存広場　(右下) 今後は運営の担い手となる市民とともに、活用案を実現するための空間・設備と運営体制の構築を検討していく

(左)「管理者支援型」の活用がなされたコモ・スクエアとKiTARAの建物が並ぶ豊田市停車場線の広場。「あそべるとよたDays 2015」では、Jリーグ名古屋グランパス戦のパブリックビューイングが開催された　(右上) 既存の様子。歩道は広くベンチもあるが、日陰や眺める対象など整える部分がある　(右下) 将来的には、日常的には隣接する商業施設の前庭的空間として気持ちの良いカフェで一服する場となり、お祭りでは見せ場に向かう「花道」となる

あそべるとよたプロジェクト データ

主催者概要

あそべるとよた推進協議会
組織形態：任意団体
設立年：2016 年
あそべるとよたプロジェクト：
http://asoberutoyota.com

地域概要

対象レベル：地域レベル
対象面積：約 196ha
地域特性：地方都心部
用途地域：商業地域
活用制度：無

Chapter

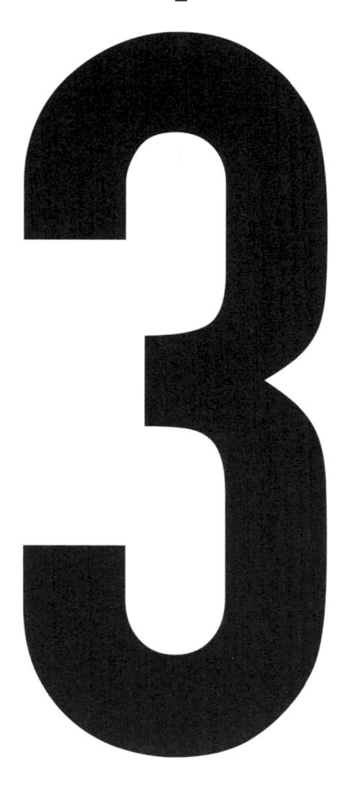

参加体験型

Recipe 05

参加者の能動的な遊びに任せた「都市を体感する」イベント

都市の真ん中でテントを張って寝泊まりする「アーバンキャンプ」。あえて「過剰なおもてなし」をやめ、参加者の能動的な楽しみ方に任せています。その視点とノウハウは、コンテンツに溢れた都市ならではのものとして、公共空間や都市ツーリズムを考えるうえでのヒントに満ちています。

アーバンキャンプ（全国各地の街なかの空き地、オープンスペース）

Method

アーバンキャンプの手法

25
実現のための行政協議はしっかりと

焚き火をするための消防署への申請、飲食提供をするための保健所からの許可など、関係機関への手続きと相談をすることで「アーバンキャンプ」の要素を1つずつ実現させます。期限には余裕をもって協議へ行くことと、会場独自のルールには従うことも重要です。

26
地元との連携は密に

会場となる場所の周辺住民、町内会など、普段使っていない場所を使わせてもらう場合はとくに、地元の人々との連携は密接に行うこと。行政機関からOKが出たら、地元の人々への連絡や相談も忘れずに。信頼関係を築いてこそ、街を楽しむキャンプになります。

27
コントロールできる規模を守る

泊まりを含むイベントは、夜間も見回りなどが必要になります。実行委員だけで見回りやトラブル対応ができるような規模にとどめ、あまり参加人数が多くなり過ぎないようにコントロールします。これは、警備員などの追加コストが掛からないようにするための工夫でもあります。

「アーバンキャンプ」を実現させるためには、さまざまな準備が欠かせません。消防や保健所などの役所関係や地元関係者への協議のような、どんな都市・会場でも必要なものから、都市の特色や文脈を読み込みながら、参加者が街を楽しめるようにするための「ちょうどいい」設えまで。運営のキーパーソンに尋ねた「アーバンキャンプ」的なコツを紹介します。

28

「おもてなし」し過ぎない

キャンプという非日常的な行為を日常的な都市の隙間で行うことが、すでにイベントと言えます。無理に「おもてなし」し過ぎず、参加者にはテントサイトを拠点として、どんどん街に出て行ってもらうように促していきましょう。そうすることで、もっと街を好きになって帰って来てくれるでしょう。

29

ファンに手伝ってもらう運営を

「アーバンキャンプ」のファン、その街のファン。実行委員だけでなく、愛をもったファンたちに積極的に手伝ってもらいましょう。むしろボランティアとして手伝ってもらうことで、参加の満足度が高まるかもしれません。お手伝いのお礼は、参加費の割り引きなどで。

30

「防災」の側面もしっかり共有

「街を楽しむ」だけでは行政も首を縦に振ってくれないことがあるかもしれません。都市で寝泊まりすることは、サバイバルやアウトドアの技術を身に付ける防災の側面もあることを、しっかりアピールしましょう。楽しくて、いざというとき役に立つ。だからこそ、都市でやる意味があるのです。

（上）企画・運営を担うチームアーバンキャンプの面々
（下４点）思い思いのスタイルでくつろぐ参加者たち。バーベキューなどの食事も振る舞われる

（上）美しくライトアップされたキャンプサイト　（下）「ムーディーゾーン」と呼ばれる焚き火スペース。自然と参加者が集まり交流が始める

「もっと東京を感じたい！」アーバンキャンプ誕生のきっかけ

「東京の真ん中で大の字になって寝転びたい！」。そんなあふれる東京愛を全身で表現するための手段が、街なかでキャンプをするということだった、と（株）グランドレベル代表の田中元子さんは言います。

発端は2014年、（一社）非営利芸術活動団体コマンドNの代表理事を務める中村政人さんが、アートイベント「トランス・アーツ・トーキョー」の1コンテンツを担当してほしいと声を掛けたこと。その人選は、建築系クリエイティブユニットを経て、現在では街づくりのコンサルタント、コーディネーターとしても活躍する田中元子さんと大西正紀さん、都市計画を専門とする中島伸さん、アーティストのBARBARA DARLINgさん、建築家の落合正行さん、イベント制作の分野で活動する牧野晃王さんの面々でした。

中村さんからのオーダーは、「元東京電機大学神田キャンパスの跡地約4,000平米を使って、3日間の企画をやってほしい」というもの。内容についての注文はほとんどなく、集められた6人は話し合っても、あまりに広いその場所と少ない予算に見合うコンテンツのアイデアが出ませんでした。ある日、田中さんがこう切り出しました。「私は東京がすごく好き。だから働いたり遊んだりするだけじゃなく、もっとダイレクトに東京を感じたい。地面に大の字に寝そべって、東京をなでたりかわいがったりしたい。そうだ！キャンプをやろう！」と。しかし、それまで田中さんは1度もキャンプをしたことがありませんでした。

こうして東京都心の空き地を使い切るアートプロジェクトとして、「アーバンキャンプ in 東京」が始まりました。

実現のための許可やプログラム設計

チームメンバーの誰ひとり、キャンプの経験がほとんどありませんでした。ましてや都会の真ん中で行うには、さまざまな調整が必要となるのですが、そのようなことについても詳しくありませんでした。神田という街でキャンプを実現するために、保健所や消防との協議を進めていきました。トランス・アーツ・トーキョーの事務局を務めるコマンドNが地元町内会との信頼関係を築いていたので、会場内の1カ所で暖を取る程度の焚き火をすることも許可を得ました。さらに、アウトドアショップが多い神田の立地も手伝って、テントメーカーの協賛を受けてテントを借りて泊まり比べができるようにもしました。

会場は建物が解体されたあとの砂利敷のただの空き地で、山や野でのキャンプのような清々しい空気も風景もありません。きっとキャンプ好きからはクレームが来るだろうなと想像して、神田のことを知ってもらう楽しいプログラムを朝から晩まで用意しようと、神田の街歩きや神田出身のミュージシャンのライブ、神田在住の女性インストラクターによる朝ヨガ、神田の有名なパン屋やコーヒー屋に出店してもらい……、果てには神田の町内会による神輿担ぎ体験のワークショップまで盛り込みました。まさに、神田を1日中体験できるフェスのようなイベントになっていきました。

そうして迎えた第1回「アーバンキャンプ」当日、前例のないイベントだったにも関わらず、100組250名近い参加者が集まりました。神田の空き地に色とりどりのテントが張られ、手慣れたキャンパーからスケボーに乗ってくる若者まで、多様な人々がアーバンキャンピングを楽しみにやって来ました。

参加者の少なさで気づく
キャンプの本質

しかし、一生懸命用意したワークショップやプログラムの数々への参加率はとても低いものでした。神輿を担ぐ人も少なく、この日のために一肌脱いでくれた町内会の人も満足はできていないようでした。

主催メンバーは、どうしてもう少し参加してくれなかったのだろうと思いました。しかし、夜に参加者たちが焚き火をシェアして囲み、それぞれが焼いた食べ物を振る舞いながら知らない人同士で話をしている光景を見ているうちに、その理由が見えてきました。

「野や山に行ったとして、木の枝や川の水は、『僕とワークショップやろうよ』って言って歩み寄って来ないでしょう。そういうことから逃避できる時間がキャンプ」と田中さん。枝があって服を引っ掛けるとしたら、それは木をクローゼットに見立て、あるいは川にビールを突っ込んだとしたら、その人の目が冷蔵庫に見立てただけ。冷蔵庫として使ってください、とか洋服掛けるのにいいよ、とか向こうからサジェストしてくるわけではない、と説明します。

テントを張り終わったら、渋谷に映画を見に行ったり、友達を呼んで同窓会をしたり、スーツに着替えて出社する人もいたり。「それがじつは神田らしい、東京らしいことだったんだなとわかったんです」と田中さん。

そこからはもう人にある特定の行為を引き出すコンテンツを与えるのではなく、どう動くかはわからないが、「その人の能動性が溢れてしまうような“補助線のデザイン”のみを与えよう」と決めたそうです。人には何か与え続けていないと飽きてしまうのではないか、という先入観が世の中にはあるのかもしれません。しかしキャンプとは、受動や消費から逃

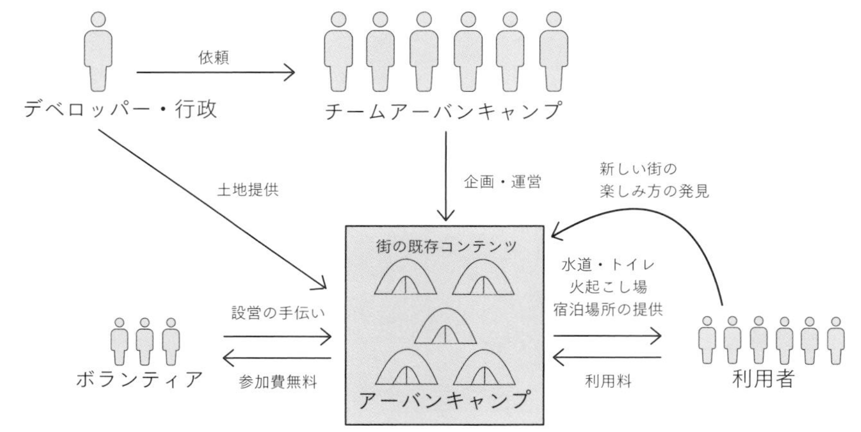

運営・活用システム

れ、自分が能動的に状況をサイトスペシフィックに見立てて楽しむことであり、それは大自然でも都会でも変わらない。野山でのキャンプと違うのは、コンビニや飲食店がすぐ近くにあることで、野外での料理が苦手でも都会であればすぐに買いに行くこともできる。そういった気軽さが、アーバンキャンプならではの多様性を生んでいるということに気がついたそうです。

進んで手伝ってくれるアーバンキャンプファン

最初は1度限りの開催になるはずでしたが、1回目のアーバンキャンプが大盛況に終わり継続が求められたこと、また会場の東京電機大学跡地の工事スケジュールが延期したことで、2015年、2016年にも同じ会場で開催することができました。1年目の反省を踏まえて、主催者が過剰に「おもてなし」のプログラムを提供することはやめ、代わりに周辺のおすすめ情報や見どころを参加者に伝え、参加者の自発的なアクティビティを高めることに注力しました。

実行委員は当初から変わらないチームアーバンキャンプのメンバー6人で運営していますが、2回目以降熱心なアーバンキャンプファンたちがボランティアを買って出てくれるようになったそうです。彼らには運営の手伝いをしてもらう代わりに、参加費を無料にしています。

6人のメンバーの目が届く規模として、参加人数は約100組としています。キャンプとはいえ都会の真ん中で行うため、夜間の見回りなどが必須だからです。これ以上の規模になると警備員を雇う必要が出てきたり、コミュニケーションが行

（上）東京国立近代美術館の夏休み企画として、美術館の前庭で開催された「アーバンキャンプ」
（下）広島県呉市呉港の公園を会場に開催された「うみまちキャンプ」

き渡らないことで不要なトラブルが生まれてしまうためとのこと。

また、アーバンキャンプの実施場所にはある程度のインフラが整っていることが重要です。簡易トイレや上水道、携帯などの充電用に電源も必要な設備です。

焚き火はそれぞれのテント横ではなく1カ所に限定しています。通称「ムーディーゾーン」と呼ばれ、参加者が集まり交流できるようなエリアとして設えています。マシュマロやスルメなどを各々が炙りながらお酒を酌み交わすと、次第に参加者同士が馴染んで、見ず知らずの人と世代も立場も超えたコミュニケーションが取れることもアーバンキャンプの魅力です。

参加費のみで予算組み

予算については、最初の年はトランス・アーツ・トーキョーからの予算200万円と、貸出用テントやアウトドアギアといった企業からの協賛があったということもあり、さまざまなワークショップに掛かる費用を経費として計上しました。2年目からは参加費1,500円のみで実施しています。その予算のなかで、参加者にスープを振る舞ったり、テントを止めるための土のう袋を用意したりしています（会場が砂利などの場合ペグが地面に打てないからですが、これもアーバンキャンプらしさとして楽しんでもらっているそうです）。

規模が大きくなり過ぎないようにしているのは、手づくりでできる予算感を超えないためでもあります。あまり単価を釣り上げて、警備も万全、サービスもバッチリというのは、最初にやり過ぎてしまった轍を踏むことになってしまいます。ちょうどいい今の距離感を保つためには、予算が潤沢にあればいいというものでもないのです。

“防災” というキーワード

アーバンキャンプを実施するときにハードルとなるのが、開催地の自治体や市民の理解を得ることです。田中さんは、アーバンキャンプで起きている状況は、じつは被災時の状況と同じだということにあるとき気づきました。名前も知らない世代を超えた不特定多数の人々が、都会のど真ん中に集結し、数泊する。参加者たちは淡々とアーバンキャンプを楽しんでいますが、それは擬似的な被災時体験となっていたのです。そこで、行政への説明の際は、“防災” 的な効果が大きいことも強調して説明をしているそうです。

実際、田中さんも毎回アーバンキャンプを通して本当の災害時に役に立つ経験をしていると感じています。防災キャンプとして生真面目な教育の場にするのではなく、キャンプとして楽しもうというスタンスが、参加者自身にいろいろな足りないことや不便なことへの気づきをもたらすという意味で、リアルな防災スキルの向上につながっています。

広がるアーバンキャンプの輪

アーバンキャンプの輪は東京神田の外にも広がっています。2017年8月に、徳島県の名物行事阿波おどりと連動した「AWAODORI CAMP」を、地元の青年会議所が初開催しました。2017年10月には、広島県呉市の呉工業高等専門学校の生徒が企画し、呉港の公園を会場に「うみまちキャンプ」の名前で開催されています。東京のチームアーバンキャンプは、そこにアドバイザーとして参画しました。都内でも、東京国立近代美術館の夏休み企画として、美術館の前庭で開催しています。

田中さんは、もっといろいろな都市でアーバンキャンプを開催したいと考えています。キャンプという手段で都市の隙間をハッキングしていくことで、観光資源や名物名所といったものに触れなくても、街を好きになってくれる人が増えることは実感しているし、うまく活用されれば相当面白い観光文化になっていく。そこにとても可能性を感じているそうです。

田中さんは言います。街の中の土地や建物が、常に使いたい人が能動的に使える「アーバンキャンプ状態」だったらいいのに、と。「アーバンキャンプはたまたまテントが張ってあるけれど、そうでなくてももっと自由に座れたら嬉しいし、人が能動的に『私にはこういうふうに見立てられるからこういうふうに使いたい』ってことが、許される状況だったらいいなと思います。今私が東京都隅田区で運営している『喫茶ランドリー』もそうなりつつあるし、もっと日本中の街の中に、人の能動性で溢れてしまう場所を増やしていきたいですね」。

アーバンキャンプは田中さんが、個人が屋台をもって街へ出て無料で何かを振る舞う「マイパブリック屋台」や、喫茶ランドリーなどのプロジェクトに注力していくきっかけになったとも言います。

観光も日常も、都市を楽しむための手段としてアーバンキャンプが日本中に広がっていくと、街の姿が少し変わっていくかもしれません。

文:西田司・小泉瑛一/取材協力:(株)グランドレベル 田中元子・大西正紀

アーバンキャンプ データ

主催者概要
チームアーバンキャンプ
組織形態:臨時編成のプロジェクトチーム
設立年:2014年
スタッフ人数:6名
アーバンキャンプ:http://www.mosaki.com/uc/

地域概要
対象レベル:敷地レベル
地域特性:大都市都心部または地方都心部
活用制度:無

Recipe 06

地域のスキマに
遊びを出前

トラックやワゴンに道具をいっぱい詰め込んで、子どもの想像力を引き出す「遊び場の出前」を手掛けているのが、NPO法人の「コドモ・ワカモノまちing」です。世代や分野、地域を超えて「まち」全体で子育てを支える社会を目指し、全国各地の路上や公園など、オープンスペースを中心に活動しています。

移動式子ども基地（全国各地の道や広場、オープンスペース）

Method

移動式子ども基地の手法

31
ピンチはチャンス、発想を転換する

それまでの活動拠点から退去しなくてはならなくなり、苦肉の策としてNPO法人コドモ・ワカモノまちing代表の星野さんが辿り着いたのが、遊び道具のほうから出向くという「移動式子ども基地」でした。この発想のジャンプが活動の範囲を広げ、各地で遊びのコミュニティの種を蒔くことにつながっていきます。

32
助成金を上手に活用

星野さんは中古トラックの購入に、トヨタ財団の助成プログラムを使いました。手元資金が乏しく大きな投資をしたいとき、各種助成金の活用も視野に入れたいところ。ただし助成金ありきでは事業は長続きしないので、早期の自立と必ずセットで考えたいところです。

33
コアスタッフを絞りネットワーク型で運用

不定期のイベント事業など収入基盤が不安定な状態では人件費や家賃などの固定費はなるべく抑えたい。中心メンバーは必要最低限の精鋭で固め、必要に応じてほかの団体と協力・連携することでうまく事業を続けていくことが可能になります。

拠点立ち退きのピンチからコペルニクス的転回を経て、活動範囲を広げてきた「移動式子ども基地」。屋外を中心にイベントを開催するメリットとして、人目に触れやすく参加のハードルが低いこと、次の企画につながりやすいことなどが挙げられます。NPO 法人コドモ・ワカモノまち ing が目指す「子縁コミュニティ」は、社会全体で子育てをしていこうという試み。そのためには各地域にノウハウを広げ、そこにいる人たちで主体的に運営できる遊び場を増やしていくことが大切です。ここでは運営者への取材をもとにした成功の手法を紹介します。

34

地域の人を盛り立てる実行委員会形式

星野さんの活動は各地に遊びを起点としたコミュニティを増やしていくことが目標です。ノウハウを伝えたあとは、自分たちがいなくなっても活動が続くように——。実行委員会形式で最初から地元の協力団体を巻き込むのには、こうした狙いがあるのです。

35

誰でも使えるマニュアルを整備

ある程度活動が続きノウハウを蓄積できたら、それを伝えるマニュアルを作成してみましょう。活動の担い手を増やせるのはもちろん、その過程で自分たちの取り組みを客観的に振り返ることで、課題の整理にもつながります。次の展開への土台となる、一石二鳥の手法です。

36

オープンな場で可能性を広げる

道路や広場などオープンな空間で活動するのは、第一には通りすがりの子どもたちが気軽に参加できるようにとの狙い。ですが、ボランティアの申し出や、次のイベントにつながる偶然の出会いといった副次的な効果も。開かれた場所での活動自体が、最大の宣伝です。

拠点立ち退き、ピンチをチャンスに

「移動式子ども基地」を手掛ける星野諭さんは、日本大学の学生だった2001年、子どもと関わるボランティアサークルを立ち上げました。建築を専攻していた星野さんは、建物だけでなく人と人とのつながりをデザインすることも建築の範ちゅうと捉え、児童館や地域イベントでアートやものづくりのワークショップを展開。これが現在に続く活動の源流となっています。

活動を続けるうちに、いつでも子どもが集まれる拠点の必要性を痛感し、大学があった東京・神田エリアで物件を探し始めます。しかし、子どもが安心して家の前で遊ぶことができ、かつ学生ボランティア団体でも負担できる家賃の物件となると、なかなかハードルは高い。2004年、ようやく理解のある家主と条件に見合う空き家に巡り会うことができました。少しでも費用を浮かせるため、メンバーの手作業で廃材を活用して改装。拠点型「子ども基地」のスタートとなったのです。

私道の突き当たりにあったその長屋では、星野さんやボランティアの大学生が放課後の子どもたちを迎え、一緒に遊んだり、ワークショップを開催したりしてい

子どもたちと遊ぶ、コドモ・ワカモノまちing代表理事の星野諭さんとボランティアの大学生（中央2人）

ました。そうして地域に受け入れられていったのも束の間、マンション建設に伴い長屋の取り壊しが決定してしまいます。立ち退きを余儀なくされ、振り出しに戻る子ども基地。代わりの場所は、そう簡単には見つかりません。

思い悩んだ星野さんはある日、スライドドアで開閉し内部が棚になっているトラックが、自動販売機に商品を補充する様子を見てピンときました。今まで拠点にこだわっていたが、子ども基地の道具一式をトラックに積み込んで、どこにでも行けるようにしたらどうだろう？ 思いついたら即実現に向けて動くのが星野流。トヨタ財団の助成プログラムに応募し、見事助成金を獲得しました。中古トラックを購入し、移動式子ども基地が稼働したのは 2008 年。「ピンチはチャンス。逆転の発想でした」と、星野さんは振り返ります。

子どもと若者、「斜め」の関係を重視

学生ボランティアでできることの限界を感じていた星野さんは、移動式子ども基地を始めるに当たり、NPO 法人を設立しました。当初から「コドモ・ワカモノ」と謳っている通り、10 代までの子どもと、その少し上の世代の関係づくりを重視しています。

しゃぼん玉に熱中する少年

「20代がキラキラしている様子を見れば、子どもたちは自分の未来を明るく感じることができる」（星野さん）というのがその理由。中心となって活動するメンバーは常時20人から30人。登録ベースでは常時200人ほどが、イベントやワークショップ開催の呼び掛けに応じて、遊び場の活動をともに実施します。

ボランティア希望者は、星野さんやスタッフが面接し、得意なことややりたいことなど、キーワードを引き出します。「100人に1人ぐらいの得意でも、たとえばそれを3つ掛け合わせれば100万分の1のエキスパートになれる。興味があることが見つかれば、それぞれがつながるきっかけにもなります」（星野さん）。

そうしてつながった若者たちから、業務上の困りごと、あるいは彼らが自主企画するイベントについて、相談を受けることもあります。そんなとき星野さんは、重ねてきた経験からある程度予測がつくことでも、あまり口を出さずに任せるようにしていると言います。「見守って待つ。そうしないと、自分で新しいものを生み出す力を奪ってしまうことになる」というのが、星野さんが自身を省みるなかで身に付けた考え方なのです。

毎年6万人の親子が参加

移動式子ども基地の第1号車には、100種類以上のアイテムが搭載されています。丸太や竹、石といった自然素材、麻袋やビー玉といった廃材類、コマやベ

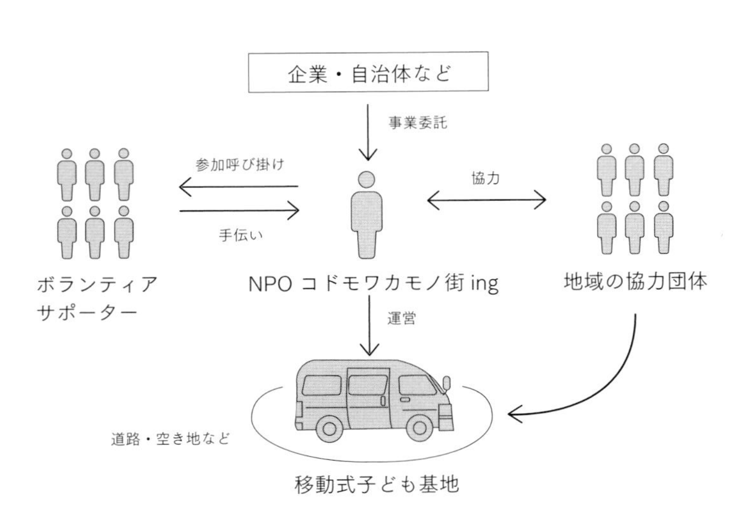

運営・活用システム

ーゴマ、お手玉など昔遊びの道具、また楽器やオリジナルの手づくり遊具など幅広い。木や芝のベンチ、ゴザ、ブルーシート、人工芝、テント、ハンモックなども装備し、移動した先ですぐに遊び場を設置できるようになっているのです。

2号車から4号車はワゴンタイプです。2号車は東日本大震災の復興支援活動として、被災地の仮設住宅を中心に遊び場をつくって回りました。3号車は東京都の子育て応援事業で導入。4号車は星野さんが現在住んでいる、神奈川県相模原市の藤野地区で活躍します。5号車は軽トラックで、他団体とのシェアも検討中とのこと。現役で稼働しているのは3号車以降で、1号車と2号車は引退して、そのまま丸ごと遊具になっています。

NPO法人コドモ・ワカモノまちingの遊びの出前先は幅広く、単発のイベントとして開催する場合もあれば、定期的に続いている場所もあります。たとえば、神田淡路町のワテラスでは毎月1回、公開空地を遊び場にする、という活動を続けて8年目になります。

そのほか、都市部の道路や駐車場、地域の広場での遊び場開催や、被災地の道路と商店街を会場にした体験型イベント、防災や環境をテーマとして遊び場と組み合わせるイベントなど、毎年5万人から6万人の親子が、コドモ・ワカモノまちingが生み出す場に参加しているということです。

それぞれの場所で遊び場を開くには、地元の理解と協力が欠かせません。週末を静かに過ごしたい人もいるなかで、当初は「街遊び」に関して批判的な意見もありました。

オープンな場で地域を巻き込む

そこで星野さんは、そうした反対派の人も含めて「昔の遊びを教えてください」と声を掛けました。すると、知らない遊びがたくさん出てくる。最初は反対していた人も懐かしがって、いつのまにか開催を楽しみにするようになっていきました。

また、屋内で将棋教室や囲碁教室をやりましょう、と言っても、なかなか足を運ぶ人はいないもの。しかし、道路にただ将棋盤を置いておくと、通りがかった大人が自然に関わり、子どもたちに教えるようになってくる。そうした仕掛けや積み上げがあり、今では地元住民と学生が主体となって自走するようになった場所もあります。

初めての場所でイベントを立ち上げる場合、星野さんはその地域の人を巻き込んで、実行委員会形式にすることが多いそうです。自分たちの手を離れても地元の協力団体が引き継いでいけるようにしないと、地域ぐるみで子育てをサポートする環境は広がっていきません。「実行委

丸太や竹、石といった自然素材、麻袋やビー玉といった廃材類、コマやベーゴマ、お手玉など昔遊びの道具、また楽器やオリジナルの手づくり遊具などさまざまな遊び道具が「移動式子ども基地」に積まれ運ばれる。公開空地や道路や駐車場、地域の広場などが即席の子どもたちの遊び場となる

員の人と、スタートの段階でまず想いの共有をすることが一番大切。そのあとに、自分で責任をもてる役割を、1つでいいからもってもらう。そして、タスクの共有をしていく。その過程で絆が育まれ、うまく回っていく」（星野さん）。

地域に入っていくとき心掛けていることとしては、「遠心力と求心力を意識している」。初動期にはコマをグッと回すように、求心力を与える。そして遠心力になって自転するようになったときに、一旦引いてみる。すると必ずぶれが出てくるので、そのときは中に入ってまた回す、というイメージとのこと。経験を重ねて得られたであろう感覚のなかに、地域との距離の取り方の極意を見る気がします。

各地での協力団体との協働を前提として、移動式子ども基地に関しては、現在は3～4名の体制に落ち着いています。一度、組織が拡大した時期があり、現場よりもその裏側を支える管理業務が膨大となった苦い経験から、組織を大きくするより、複数団体とネットワーク型で取り組むように工夫しているそうです。

そうした際に威力を発揮するのが、星野さんが活動してきたノウハウをまとめた「あそびの出前ガイドブック」です【p.101】。書き込みができるワークブック形式になっていて、子どもとの接し方の勘所や安全管理、企画立案のコツなどが自然と身に付く構成になっています。サポートスタッフや協力団体に提供することで、効率良く遊び場運営の方法を伝えることができます。

青空会議で営業資料いらず

遊びのイベントは基本的に無料で参加できます。一方で運営側には、人件費をはじめ会場代、材料代、保険費用などが発生します。コドモ・ワカモノまちingの足元の年間事業売り上げは2,500万円程度。イベントの規模に応じて、1開催につき5万円から500万円程度の委託費を申し受けています。企業などの発注者が直接支払うケースが主ですが、新規プロジェクトは補助金を利用することもあります。

屋外でのイベント開催は、次の企画につながる“営業”の面ももちます。「営業資料をつくってもち込んだりしたことはない。なぜなら現場自体が営業のようなものだから」と星野さん。NHKの環境イベントや防災イベントも、六本木ヒルズの子どもイベントも、現場に関係者が偶然通り掛かり「うちでも何かやれませんか」と声が掛かったそう。その場で打ち合わせしたりすることも多いとか。その手の現場の出会いは枚挙にいとまがありません。

またイベントを支えるボランティアスタッフも、通りすがりに興味をもって、そ

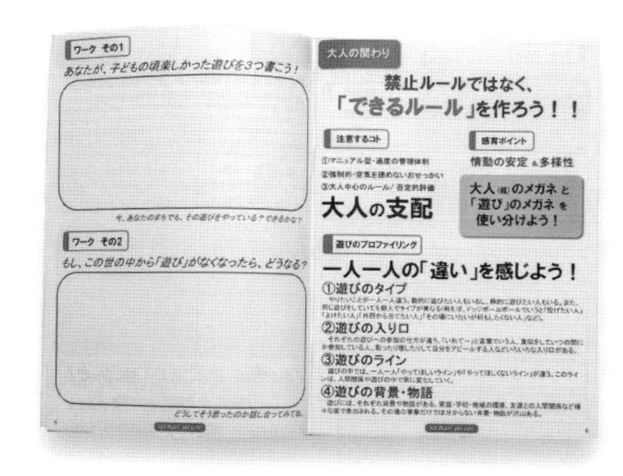

ワーク その1

あなたが、子どもの頃楽しかった遊びを3つ書こう！

今、あなたのまちでも、その遊びをやっている？できるかな？

ワーク その2

もし、この世の中から「遊び」がなくなったら、どうなる？

どうしてそう思ったのか話し合ってみてね。

大人の関わり

禁止ルールではなく、
「できるルール」を作ろう！！

注意するコト

①マニュアル型・過度の管理体制
②強制的・空気を読めないおせっかい
③大人中心のルール／否定的評価

大人の支配

感育ポイント

情動の安定 ＆多様性

大人（視）のメガネ と
「遊び」のメガネ を
使い分けよう！

遊びのプロファイリング

一人一人の「違い」を感じよう！

①遊びのタイプ

②遊びの入り口

③遊びのライン

④遊びの背景・物語

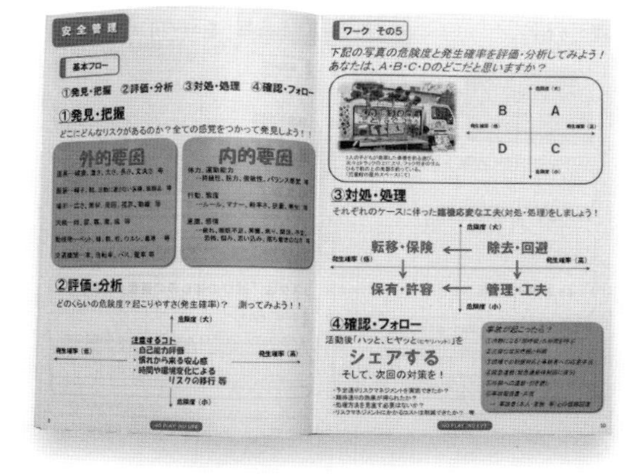

安全管理

基本フロー

①発見・把握　②評価・分析　③対処・処理　④確認・フォロー

①発見・把握

どこにどんなリスクがあるのか？全ての感覚をつかって発見しよう！！

外的要因

内的要因

②評価・分析

どのくらいの危険度？起こりやすさ（発生確率）？　測ってみよう！！

注意するコト
・自己能力評価
・慣れから来る安心感
・時間や環境変化による
リスクの移行 等

ワーク その5

下記の写真の危険度と発生確率を評価・分析してみよう！
あなたは、A・B・C・Dのどこだと思いますか？

③対処・処理

それぞれのケースに伴った臨機応変な工夫（対処・処理）をしましょう！

転移・保険　除去・回避
保有・許容　管理・工夫

④確認・フォロー

活動後「ハッと、ヒヤッと」をシェアする
そして、次回の対策を！

MODEL 4

道路イベント

日常動線である道路を封鎖し行う遊び場。世代を超えた人と人の繋がり、まちとまちの繋がりが生まれます。

感育ポイント

遊びの価値

安全管理

道路イベント事例

写真集

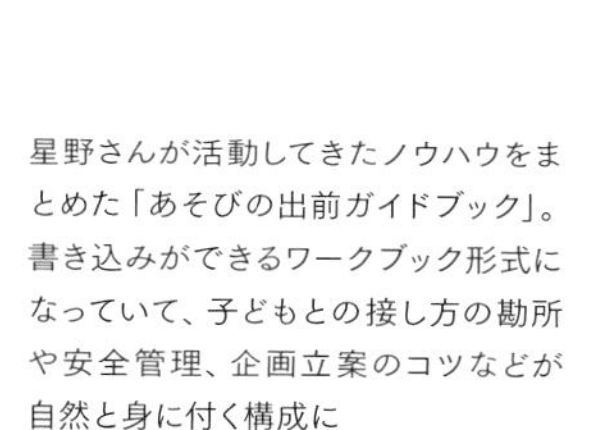

星野さんが活動してきたノウハウをまとめた「あそびの出前ガイドブック」。書き込みができるワークブック形式になっていて、子どもとの接し方の勘所や安全管理、企画立案のコツなどが自然と身に付く構成に

のまま加わってくれる人がいます。同世代の学生が楽しそうに活動しているのを見て、自分も何かやってみたいという気持ちになるというのです。学生は卒業して働き出すとなかなか関われないという難しさがあるものの、常に次世代が入ってくることで、新陳代謝しながら活動が引き継がれていきます。

「街」で子育てを支える

子育て支援の界隈では、子どもが遊べ

る「時間」「空間」「仲間」の３つの「間」の減少が課題といわれてきました。星野さんはそれに「隙間」と「手間」を加えた「五間（ゴマ）の欠如」を指摘します。創造性を発揮できるようなある程度のゆとり（隙間）はどんどん失われ、公園では禁止ルールばかりが増える。暮らしや遊びのなかでの手間を惜しみ、何でもお金で解決してしまう。

コドモ・ワカモノまちingが一貫して手掛けてきたのは、遊びを通して、子どもたちが失った「五間」を再構築していく試みと言えるでしょう。遊ぶための時間や空間を確保し、一緒に遊ぶ仲間を増やす。道路上など、ぶらっと買い物に行く延長線上に子どもの遊び場を入れ込むことは、日常空間の公と私の隙間を利用することとも言い換え可能です。

「子どもの遊び場や居場所を生み出すことと、地域のコミュニティの醸成、その両輪を意識しています。子育て世代だけでなく、その上の世代までを取り込んだ、街全体で子育てに取り組める仕組みを考えてきたし、今後も追求していきたい。そして、日本各地に移動式遊び場をたくさん生み出したい」。星野さんのチャレンジは、今後もまだまだ広がっていきそうです。

文：樋口トモユキ／取材協力：NPO法人コドモ・ワカモノまちing 代表理事 星野諭

辺り一面、遊び道具で埋まった「遊びの出前」の様子。屋外でのイベント開催時に、偶然通りかかった関係者からイベントの企画の声が掛かることも多い。通りすがりに興味をもって、そのまま加わってくれるボランティアスタッフも

移動式子ども基地 データ

主催者概要

NPO法人 コドモ・ワカモノまちing
設立年：2008年
スタッフ人数：5名
http://www.k-w-m.jp

Chapter

持続発展型

Recipe 07

市民がつくり出す
愛情溢れる駅前広場

少子高齢化による人口の減少が進むニュータウン。ユニークな話題を住民自身が創出し、元気な街にしていくための活動が、駅前広場を舞台に繰り広げられています。誰もが利用し、楽しめる広場に育てる「つながるDays」には、コーディネーターによる1人ひとりと向き合う丁寧な対話と場づくりのコツが見え隠れします。

いずみがおか広場 つながるDays（大阪府堺市南区・泉北高速鉄道泉ケ丘駅前〈泉北ニュータウン〉）

Method

いずみがおか広場 つながるDaysの手法

37
世界観に共感する仲間を集める

最初に新しいことを始めるときには、「共感」が重要です。「共感」とはともに感じること。あなたの企画はどんな世界観なのか、ほかの事例や参加してほしい出店者や人などのイメージをキャスティングボードにまとめましょう。そして、共感してくれそうな友人や仲間に声を掛け、賛同を集めましょう。

38
事前に家具をつくり、使用イメージを見せる

マーケットのような出店者の参加を募るとき、とくに初めての開催の場合は、実例写真がないとどんなイメージなのかわからず、不安になってしまいます。また、実際にイメージと違ったなど、当日のトラブルになる可能性もあります。そんなときに、事前に必要な家具や什器を揃え、写真や実物を見せられると、出店者は安心して当日までの準備を考えることができます。

39
事前面談で出店者に向き合い、想いとチャレンジを確認する

最近ではウェブでの申し込みもできるので、主催者は出店者と当日に初めて会うということも少なくありません。しかし、どんな人が来るのか、主催者側の世界観に理解してもらえているかなど、会って話さないと共有できないこともあるでしょう。事前面談を行うと、出店者がなぜ申し込んだのか、何をしているのかなどを対面で確認し、想いとチャレンジ内容を確認できます。

単なる場所貸しのマーケットはたくさんありますが、「いずみがおか広場 つながるDays」はそうではありません。自分ゴトで捉えた当事者市民が、「愛される広場」とするために自分でできるチャレンジと想いを表現したマーケットが、「つながるDays」です。人口減少の恐れのあるニュータウンの駅前広場で、自分たちが暮らしやすい街にしていくため、市民1人ひとりがチャレンジをする。そんな「愛される広場」という共通の目標を達成していくために市民を巻き込んでいく手法を、コーディネータへの取材をもとに紹介します。

40

チラシに出店者の顔とストーリーを掲載

マーケットの広報をするとき、チラシに出店者の情報を掲載し、どんなお店が出るのかを伝えることは重要かもしれません。でも「つながるDays」の場合は、出店者はいわゆるプロの業者ではなく、市民です。参加者のプロフィール写真となぜ参加しているかなどのストーリーを紹介することで、共感を呼ぶ工夫をしています。

41

出店者と来場者が会話しやすいように什器をレイアウト

出店者や来場者とのおしゃべりもマーケットの楽しみの1つ。360度広がる家具で設えることで、自由なディスプレイが可能となり、会話が生まれやすくなります。そんなコミュニケーションの豊かさが人とのつながりをつくっていきます。

42

イベント期間中に、学びや交流の場をつくる

マーケットに出店するときに、出店者はそれで終わりになっていませんか？「つながるDays」では出店者同士がつながる場をつくっています。ゲストレクチャー、上映会などで出店者同士が仲良くなったり、それぞれの想いを共有したり、一緒に学んだりする場を用意することでプレイスキャピタル（場の関係資本）を形成し、当事者意識をもって、自主的に場を運営していく人を育てているのです。

（上）来場者と和やかに対話を楽しむ「ひろばプランナー」　（下）芝生広場で催されるヨガ教室

（上）広場にダンボールを積み上げてつくったダンボールタワーは子どもたちに人気　（中）自由に本を借りられる「つながるDays図書館」（下）子どもたちのための寸劇

ニュータウンに活気と愛着を取り戻す

「いずみがおか広場 つながるDays」(以下、つながるDays)とは、ニュータウンに多様なくらしと楽しみ方を生み出すことを目的としたマーケットイベントです。舞台となる大阪の泉北ニュータウンは、街開きから50年以上が経過し、人口減少・少子高齢化が課題となっています。転機となったのは、2014年。松井一郎大阪府知事(当時)による大阪府の資産整理のなかで、泉北高速鉄道・泉ケ丘駅前の商業施設も対象となり、事業者コンペを経て、南海電気鉄道(株)(以下、南海電鉄)がこの商業施設を取得したことがきっかけです。

2016年の商業施設のリニューアルに合わせ、駅前広場も改修しました。その広場を表現の場として解放し、地域愛醸成や地域活動プレイヤーの発掘を目指すイベントとして、つながるDaysがスタートしました。会場は泉北ニュータウンの玄関口である泉ケ丘駅前のいずみがおか広場。人々の表現の場として使ってもらえるよう、2017年から年に数回開催されています。

特筆すべきは、「ひろばプランナー」(広場使用者)の枠組みと、市民を主役とする場づくりの工夫。この2つが、商品の販売が主体となるほかのマーケットイベントとは決定的に違った特徴となっています。

「愛される広場」をプランニングするひろばプランナー

つながるDaysを支えているのは、南海電鉄の今中未余子さん、辰巳砂悦子さん、NPO法人SEIN(サイン)の宝楽陸寛さん、甚田知世さん、そして出展者のひろばプランナーによるチーム。南海電鉄は、広場のオーナー(管理者)であり、つながるDaysの主催者として活動します。SEINはコーディネーター(事務局)として、企画・運営を担当。そして一般公募によるひろばプランナーは、市民として自らのできる企画をもち込み、提案し、実施しています【p.113上図】。

つながるDaysの枠組みでは、出店者を出展者、またはひろばプランナーと呼んでいます。プロの企画事業者やフリーマーケットの出店者とは異なり、市民の「やってみたいこと」を広場でどのように表現するのか、広場の使い方と可能性を管理者や事務局とともに考えていくパートナーという位置付けです。

ひろばプランナーは、「愛される広場」にするために自らの想いやアイデア、企画など、自分ができることをもち込んでいます。プランナーというと専門家という印象がありますが、市民1人ひとりが愛される広場をプランする(企画する)、その集合体がつながるDaysと言えるでしょう。

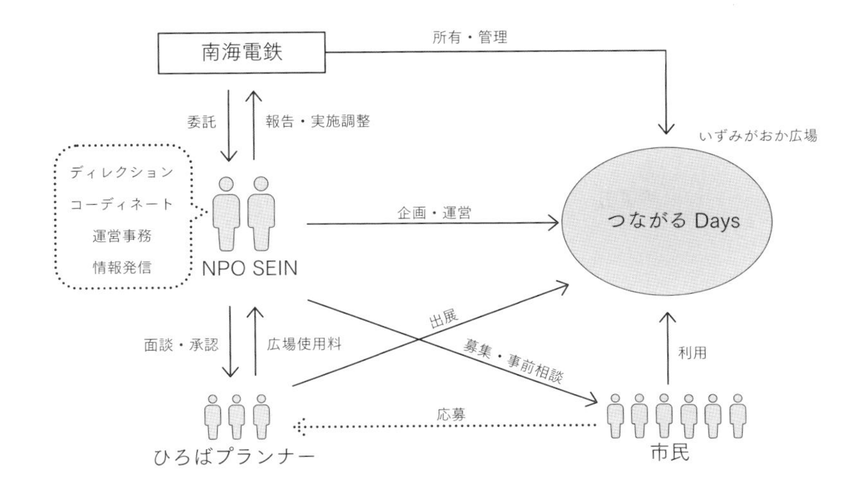

運営活用システム

対話の場となる「プランナー面談」

そんなひろばプランナーはどのように生まれるのでしょうか? 想いある市民でも、企画をかたちにするのは簡単なことではありません。

まずSEINが事務局となり、ウェブやSNS、駅や駅前商業施設の広告媒体などで、つながるDaysのひろばプランナー志望者公募の情報を公開し、拡散します。

次に、応募のあったひろばプランナー志望者と、面談を行います。面談は1組につき約1時間。対話のなかでは、つながるDaysへの主催者と事務局の想いを伝えたうえで、❶応募のキッカケ、❷つながるDaysを何で知ったか、❸チラシのどこに反応したか、❹活動や取り組みについて(いつから/始めたキッカケ/なぜ続けているのか/店舗名・出展の意味/一番嬉しかったこと)、❺今後の目標、といった項目などを聞いているとのこと。応募者の人生に寄り添うような対話がなされている印象です。このプランナー面談を踏まえて、応募者自らプランを考え、ブラッシュアップし、本番のイベントに臨みます。いち住民が自覚あるひろばプランナーに変身するために、必要な時間なのかもしれませんね。

オリジナル什器を無償貸与、世界観を大切にした場のつくり方

そんなつながるDaysには、場のつくり方にも工夫がありました。場を彩る什器・

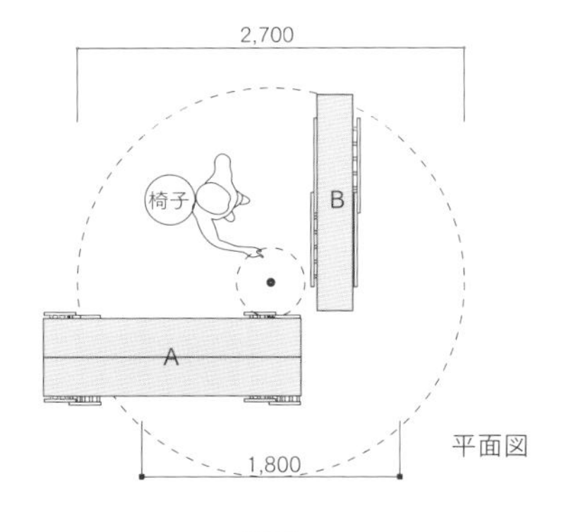

平面図

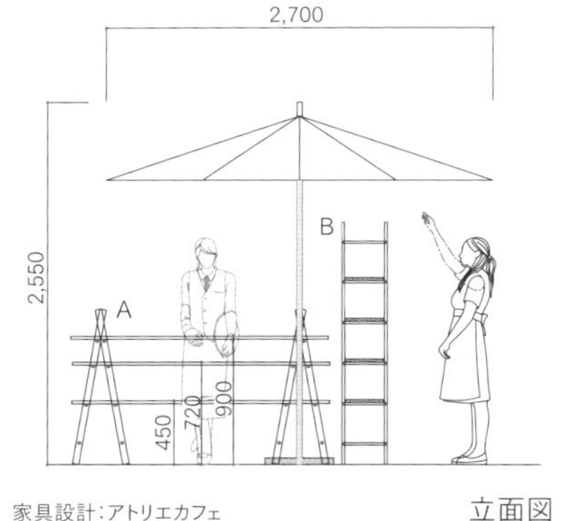

家具設計:アトリエカフェ

立面図

貸し出し用のオリジナル什器図面

[梯子什器A] → 梯子4台+板5枚 ／ 1店舗

梯子の形まで解体が可能。足元はロープで固定。スタンドのカウンター高さ、テーブル高さ、座卓など低めの高さの3段階に板を設置でき、多様なパターン展開が可能。
梯子の棒にもS字フックなどで商品の陳列ができたり、出展者の工夫でいかようにも使いこなせる什器。

[梯子什器B] → 2台+板4枚 ／ 1店舗

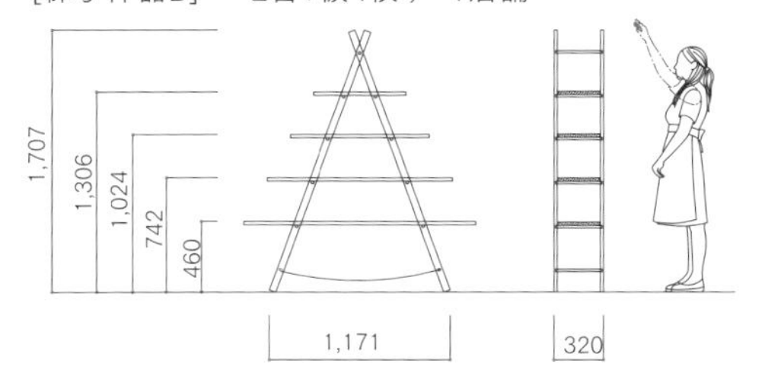

梯子の形まで解体が可能。足元はロープで固定。Aと同じ仕組みで、梯子2台でなる什器。幅広い利用ができる。

「ひろばプランナー」に貸し出される特注什器。プランナー同士、また来場者とも会話をしやすいよう自由にディスプレイができる360度広がるデザイン。仕切りを曖昧にしたり、見通しを良くするためテントではなくパラソルを用いている

最初に、目指すゴールとなるビジョンを描いた1枚の絵を共有

チラシに掲載される「ひろばプランナー」の紹介

福祉に新しい選択肢を

20

まちかどステーション ヤオヨロズヤ出張所

家庭菜園から準農家まで育成する"みないき農業塾"のメンバーが育てたオーガニック野菜の販売

11/15(木)10:00～売り切れ次第終了 | 有料

槇塚台センターにあるヤオヨロズヤは「様々な職種を体験できる」就労継続支援B型と「あなたのやりたい仕事を一緒に探す」就労移行支援を行う福祉事業所として10月にオープン。私たちは就労支援の当事者を"メンバー"と呼んでいます。自分らしい働き方を試して、将来の選択肢を増やしたり、一生をサポートしていけるようなシステムを一緒につくっていくことを目指しています。これからの福祉の未来を共に創っていく仲間としてメンバーも募集中です。福祉関係の方や、ご興味のある方は、ぜひお声掛けくださいね。

#ヤオヨロズヤ #福祉事業所 #槇塚台

主催：NPO法人ASUの会
問合せ：npo-asu.mks@sirius.ocn.ne.jp / 担当 増田

「欲しい！」は自分でつくる

21

zakka-ya.mume.(雑貨屋ムメ)

雑貨好きな店主によるインテリア・オブジェ・アクセサリー雑貨の販売

11/15(木)、16(金)、23(金・祝)、24(土) 10:00～16:00 | 有料

雑貨屋がしたいという夫婦の夢。介護ヘルパーの事務所を移転する際、出会った物件に雑貨屋のできるスペースがあり即決！実店舗の最寄り駅である泉ヶ丘。以前よりも雑貨屋が減ってしまったので、雑貨好きな人たちに楽しんでもらえる時間をお届けしたいと思っています。雑貨が大好きな、たくさんの方に見に来てもらい、もっと笑顔になってほしい。期間中は店主がセレクトした雑貨が広場に並びます！

#雑貨屋 #マトリョーシカ #堺市中区

主催：zakka-ya. mume.(雑貨屋ムメ)
問合せ：mmkaranm@yahoo.co.jp / 担当 永田

備品などはすべて無償で貸し出し、出展者であるひろばプランナーのもち込みを極力防ぐことで、そのコンセプトや世界観を大事にしています。

貸し出し用の什器は、初回開催前にオリジナルで設計、製作したそうです。「出展者と消費者に境界線のないデザインを依頼した」と、甚田さんは話します。360度広がるよう、自由にディスプレイができるようにし、ひろばプランナーがプランナー同士や来場者と会話をしやすいように心掛けているそうです。テントではなく、パラソルにしているのも、出展者同士の仕切りを曖昧にしたり、見通しを良くするための配慮だそうです。

また、チョークボードなど、ひろばプランナーが自身を表現する場を用意しているほか、広場の周辺部のベンチに腰を掛ける人にも背を向けることがないよう、どこからでも声を掛けることができるブースレイアウトを心掛けているそうです。

ストーリーを伝えるチラシ

チラシ1つとっても、ほかのマーケットとの違いが一目瞭然です。一般的なマーケットであれば、商品の写真と紹介文が掲載されがちなところ、つながるDaysでは、ひろばプランナーのプロフィール写真と、なぜこのイベントに参加しているか、自身は表現の場として愛される広場にするために何を企画したかなどのストーリー（物語）を紹介しています【p.115下】。また、それぞれハッシュタグが付けられていて、SNS発信を意識するだけでなく、さらに踏み込んで来場者がフックとできるキーワードを提示しているのもポイントです。

事務局自らプランナーに

マーケット開催時以外でも、独自の工夫があります。せっかくつながるDaysに参加しても、出展することに注力してしまい、お互いのことを知らずに終わってしまうのはもったいない。事務局のSEINが呼び掛けて、ひろばプランナー同士がつながる機会として、さまざまなまちづくりをテーマに話し合う場「ひろばダイアログ」を開催しているのです。

具体的にはゲストレクチャーや映画上映、「meet up！」という広場の使い方を考える自由参加の会議など。一緒に学んだり、体験したりする機会を通じて、出展者同士がお互いを知ったり、仲良くなったり、一緒に広場について語っていくような機会が設けられています。これによって仲間意識が芽生え、次も参加したいという気持ちが湧き、プレイスキャピタル（場の関係資本）が形成されていくのではないかと思います。

さらに、つながるDays事務局の

SEIN自らひろばプランナーとして、キッチンカーを利用し毎回カフェを開催しています。もちろん現場責任者の誰かが常にいる必要があるというのは、どのイベントでも一緒です。しかし責任者でありながら自らも参加することで、ひろばプランナーとしてお手本となる振る舞いを見せたり、案内係やコンシェルジュの役割を担ったり、ほかのプランナーの相談に乗ったりと、マルチな役割を果たしている例は珍しいのではないでしょうか。

管理者というよりは、住民として参加者と同じ目線に立ち、ひろばプランナーの手本にもなる。まさに広場主のような存在は、愛される広場に育てるための大切な役割だと思います。

見積もり難しい人件費

事業収支については、ひろばプランナーからの使用料、SEINが出店するカフェの売り上げが収入となります。一方、広報費用や備品代、保険代、イベント運営に掛かる人件費などが支出となっており、その大半は管理者である南海電鉄からの事業費に拠っています【p.118 上左図】。

話を伺ったところでは、ひろばプランナーとの面談や相談事への対応など、なかなか時給換算や見積もりしにくい部分、また体制の課題などもあるかもしれないと感じました。しかし、自ら楽しみながら愛される広場を実現していくメンバーの様子に、思わず応援したくなります。

通年で愛される広場に

つながるDaysは次のステージに向かおうとしています。現状では、費用やマンパワーの観点から、イベントやお祭り的な年に数回の開催が限界です。

しかし、日常的に愛される広場にしていくことが次のステージ。それに向けて現在は、「ひろばアンバサダー」養成講座を開催しているそうです。つながるDaysにひろばプランナーとして参画した経験があることが受講条件です。

講座だけではなく実際に、つながるDaysを開催していない時期にアンバサダーの有志が集い、実行委員会形式でいずみがおか広場を使うイベントを催しています。ここでは慣れない広報や調整など一部の業務を、事務局や南海電鉄がサポートする体制を取っています。またイベントを主催するためのマニュアルづくりや仕組みづくりなど、ひろばアンバサダーの心理的な負荷を下げる工夫も考えられています。

こういった、当事者となる市民が自分ごととして広場を捉え、「愛される広場」というお題に対し、自分に何ができるか、自分のペースでどんな役割が担えるかを考

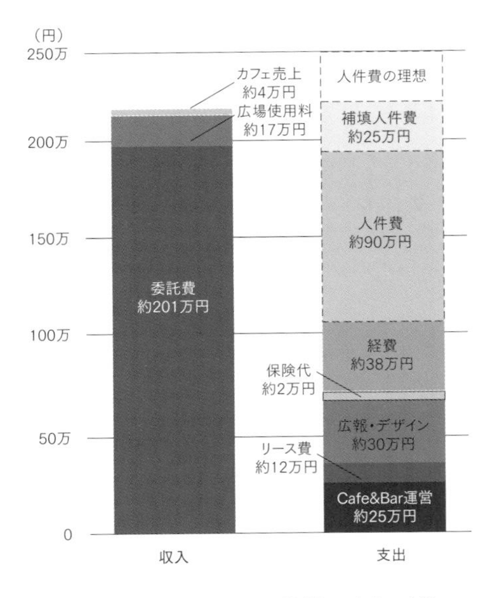

「つながる Days」(2017 年 11 月開催)の収支の内訳

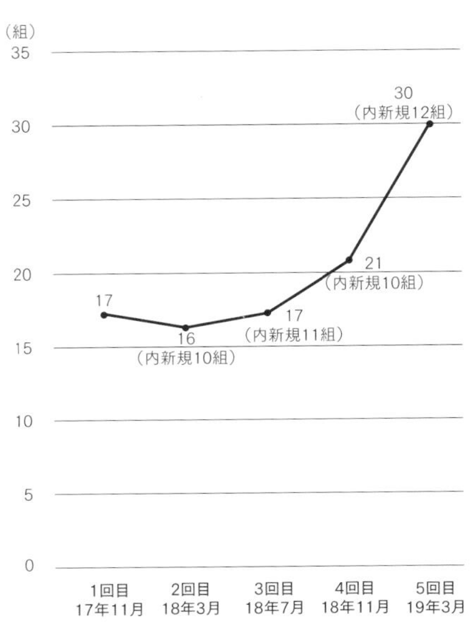

ひろばプランナーの参加組数

えている人たちの集まりは心強いですね。そんな当事者市民にいかに関わってもらうか、参加してもらうか、育てるか。場づくりや人と人をつなげるヒントが、つながる Days の実践のなかにあるのではないでしょうか。

文:泉山塁威/取材協力:NPO 法人 SEIN 事務局長 宝楽陸寛、甚田知世

いずみがおか広場 つながる Days データ

主催者概要

南海電気鉄道(株)・NPO 法人 SEIN(サイン)
組織形態:南海電気鉄道(株)が主催、
NPO 法人 SEIN が企画・運営を担うチーム
プロジェクト活動開始:2017 年
スタッフ人数:南海電鉄担当者2名、NPO SEIN 担当者2名
泉ヶ丘ひろば専門店街 つながる Days:
https://www.izumigaoka-nankai.com/hirobadays/

地域概要

対象レベル:敷地レベル
対象面積:1,350 ㎡(広場面積)
地域特性:地方郊外部
用途地域:商業地域
活用制度:無

（上）事務局を務めるSEIN スタッフが
キッチンカーを利用し開催するカフェ
（下）市民活動団体によるミーティング

つながるDaysの準備スケジュール

2017年にスタートした「つながるDays」。「ひろばプランナー」（出展者）との丁寧なコミュニケーションと什器やチラシなどのデザインにより、巧みにイベントの世界観をつくり上げ、市民に愛されるイベントとして育

		8月
ひろばプランナー募集	① 募集要項作成	確認
	使用料・規約貸出備品について	確認
	広場の営業ツール作成（強みの整理）	
	② 募集概要作成	確認
	③ 応募への声掛け	
	④ 募集（プレスリリース発表）〜締切	
	⑤ 応募者・依頼事業者との日程調整	
	⑥ 審査	
イベント宣伝	① 広報情報整理	
	② 会期チラシ（会期内容）作成	
	次回会期考察（テキスト執筆用）	
	デザイン・印刷	
	③ 泉ヶ丘ひろば専門店街 FB発信	
	④プレスリリース発表（実施概要）	
会場準備	① 会期中人員配置計画	
	② 備品購入・リース手配	確認
	③ 現場運用調整・広場の使用サポート	
イベント実施	実施	
イベント広報	① 開催レポート・使い方の広報	
	② 記録撮影（ライターに依頼）	

ちました。2018、19 年は年に3回開催しています。準備は約 4 カ月前から。ひろばプランナーの募集から審査完了までに、およそ2カ月を掛けています。面談でからはエピソードをヒアリングし広報に活かすなど、ひろばプランナーをはじめとした市民を主役とした広場づくりを徹底。広報や準備のスケジュールを細かく組み、「愛される広場」にするためのプロセスを積み重ねています。

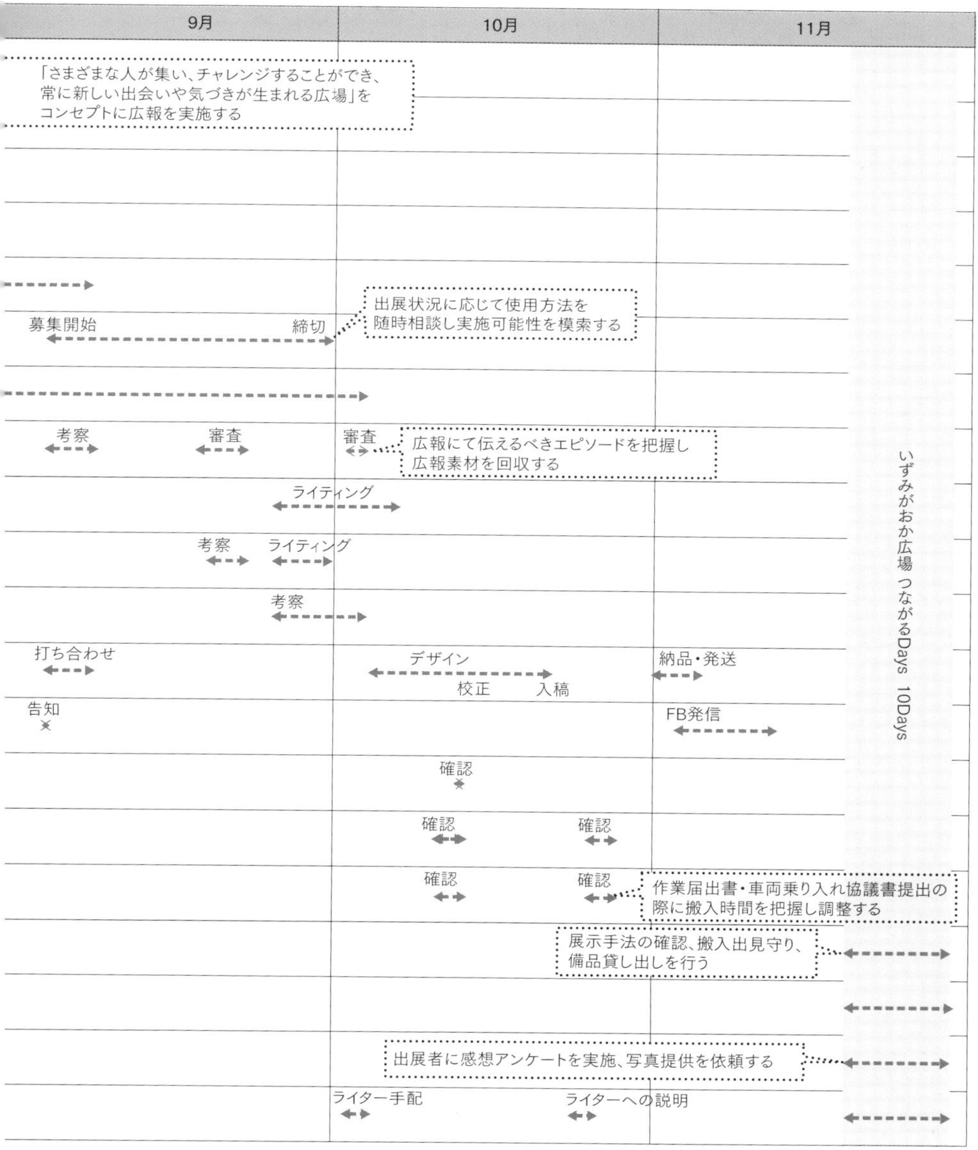

9月　10月　11月

「さまざまな人が集い、チャレンジすることができ、常に新しい出会いや気づきが生まれる広場」をコンセプトに広報を実施する

募集開始　締切

出展状況に応じて使用方法を随時相談し実施可能性を模索する

考察　審査　審査

広報にて伝えるべきエピソードを把握し広報素材を回収する

ライティング

考察　ライティング

考察

打ち合わせ　デザイン　校正　入稿　納品・発送

告知　FB発信

確認

確認　確認

確認　確認

作業届出書・車両乗り入れ協議書提出の際に搬入時間を把握し調整する

展示手法の確認、搬入出見守り、備品貸し出しを行う

出展者に感想アンケートを実施、写真提供を依頼する

ライター手配　ライターへの説明

いずみがおか広場 つながるDays 10Days

Chapter

機能再編型

Recipe 08

アートプロジェクトから生まれた
街の価値を高めるコミュニティ農園

住工混合地域において、地元の不動産会社がもつ空き地を暫定的な「農園」として転用するプロジェクトです。地区の空洞化といった課題に対して、新たな環境づくりやコミュニティづくりを行うことで、街の価値を高めていこうという取り組みです。

みんなのうえん北加賀屋（大阪市住之江区）

Method

みんなのうえん北加賀屋の手法

43
まず地域の住民に意見を聞く

プロジェクトの開始にあたり、まずは地域の住民の意見を聞くことから始めました。自治会の役員を対象にワークショップを実施した際、「工場ばかりで緑がない」、「自分で食べる野菜くらいは自分で育てたい」といった意見が聞かれ、その結果をニュースレターにまとめて地域内で共有してもらいました。そのため、初期の農園づくりは若い人たちが中心になって進めたにも関わらず、地域内から反対の声が出ることもなく、プロジェクトを前に進めることができました。

44
人やプログラムをつなぐコーディネート人材の成長

新たなコミュニティを生み出していくためには、コーディネーターの存在が不可欠です。「みんなのうえん北加賀屋」では、studio-L がプロジェクトの初期をデザインし、NPO 法人 Co.to.hana がマネジメントを継承。そのスタッフの金田康孝さんがコーディネーターとして活躍してきました。コーディネーションは高度な技術を必要とする職能であり、ここで人件費を得ながら経験を積むことができた金田さんが、独立して新たな地域での「農園」づくりにも挑戦しています。

45
プロジェクトメンバーの参加によって場づくりを進める

「みんなのうえん北加賀屋」は事業主体側が参加者に一方的に場を提供するのではありません。第一農園の整備段階から参加者を募り、ユーザー参加型で場づくりを進めてきました。土づくりや畝の整備、シンボルツリーの総選挙、農機具や倉庫の DIY など、参加者が自分たちで農園をつくってきたからこそ、そこに愛着と責任感が生まれます。

都市住民の貸農園へのニーズは高いといわれていますが、「みんなのうえん北加賀屋」は一般的な貸農園とは異なります。単に都市住民が農作業をできる場所というだけではなく、農を通じた新たなコミュニティを育み、そこからさまざまな活動や美しい風景が生み出されることで、結果的に地区の価値も高めていくことがこのプロジェクトの目標となっています。その目標を達成するための空間づくりや仕組みづくり、人づくりなどの手法を、コーディネーターへの取材をもとに紹介します。

46

スペースや役割のシェアによって協働の仕組みをデザインする

農園区画を複数の個人やグループがシェアすることや、興味のあるテーマでチームをつくってプログラムを実施する仕組みによって、新たな人のつながりやコミュニティが生まれます。そして、その協働による試行錯誤を通じて、参加者の学びやクリエイティビティが生まれてきます。

47

既存メンバー以外も参加できるプロジェクトの入り口を用意する

「みんなのうえん北加賀屋」では、マルシェ出店などを通じてその存在や取り組み内容を知ってもらい、新たな人の参加の入り口を常に用意してきました。区画を借りて作物を育てる人、プログラムを企画運営する人、プログラムに参加して楽しむ人など、参加の多様性と流動性をつくっていくことが継続のカギとなります。

48

SNSや口コミを中心に理解ある参加者を少しずつ増やす

農園区画の利用募集にあたっては、このプロジェクトの意義を理解してもらったうえでエントリーしてもらうことが必要です。そのため、SNSや口コミなど人のつながりを介した情報発信が効果的です。一気にメンバーを増やすことに腐心せず、「みんなのうえん北加賀屋」の価値をともに高めていく仲間を少しずつ増やすことを重視しています。

かつて造船で栄えた北加賀屋

「2009年の北加賀屋クリエイティブ・ビレッジ構想の立ち上げからまもなく10年。この間、『みんなのうえん北加賀屋』（以下、みんなのうえん）の展開も経て、徐々に地域の変化を感じています」。そう振り返るのは、千島土地（株）の地域創生・社会貢献事業部長、北村智子さん（現・おおさか創造千島財団理事）。千島土地が所有する遊休地の新たな活用を試みるプロジェクト、みんなのうえんにおいても、当初から社内手続きや行程の管理を担当してきました。

大阪市住之江区の北加賀屋地区は、大阪湾に注ぐ木津川両岸に大正時代から造船所が数多く立地し、かつてはおおいに栄えました。現在も大阪の下町の雰囲気が残る地域ですが、時代の流れとともに生産拠点が地域外へと移っていきました。1931年から北加賀屋で操業していた名村造船所も佐賀県に移転して大阪工場跡地は休眠状態となり、地域内には遊休地や空き物件も目立つようになってきました。

しょうゆ部による第2農園での醤油づくりの様子。敷地には「しょうゆ部」のメンバーがつくった醤油を醸造するための小さな小屋も。右手に見えるのは現代アーティスト故・國府理さんによる作品「パラボリックファーム」

このようななか、江戸時代から続く商家の流れを汲み1912年に株式会社設立、現在は北加賀屋を拠点とする千島土地が中心となった取り組みが生まれていきます。千島土地では、地域の発展を考慮した土地活用を行うことが不動産所有会社としての責務であるとの考えから、2009年に「北加賀屋クリエイティブ・ビレッジ構想」をスタートさせることになります。この構想に先立ち、所有する名村造船所跡地を2004年からアートプロジェクト「NAMURA ART MEETING '04-'34」に会場提供し、翌2005年には同地を「クリエイティブセンター大阪」として整備。多くのアーティストやクリエイターに恒常的な創造活動の場として提供してきました。そして2009年からは、北加賀屋地区内の空き家や工場跡などの建物をアーティストなどの創造活動の場として、低価格で賃貸する取り組みも始めました。物件の改装は自由で退去時の原状回復も不要としていることから、約45の物件がアトリエやギャラリー、オフィス、ショップやバーなど創造性を発揮する場へと生まれ変わっています。

(上左)「パラボリックファーム」は機械と自然と人の関係を考える装置　(上右)子どもたちで農作業用の動くイス「みんなカーゴ」をつくる
(下左)手づくりの石窯でピザやパン、グラタンなどを焼く　(下右)業務用設備が整う「みんなキッチン」

“農”をテーマとした
コミュニティづくり

北加賀屋クリエイティブ・ビレッジ構想がスタートし、地域内には多様なジャンルのアーティストやクリエイターが集い、創造的な活動と下町の情緒が交じり合って独特の街の風景が生み出されていきました。北加賀屋は「アートの街」として注目を集めることになります。

しかし、いくつかの課題も見えてきました。1つは、地域住民とアーティストたちとの日常的な交流がないことでした。イベント時以外については創作活動などを建物内で行うため、一般の地域住民からは活動が見えにくい状況にあり、アーティストがどんな人たちなのか、どのような活動をしているのか理解されにくい面がありました。また、千島土地が所有する敷地において、建物付きの敷地についてはリノベーションしてアトリエやオフィスなどに転用できましたが、空地となっている敷地については活用方法が見出しにくい状況でもありました。

そのようななか、千島土地から大阪に拠点をもつコミュニティデザイン事務所（株）studio-Lに相談がもち掛けられます。studio-Lからの提案は、空地を暫定的な「農園」として転換し、地区の新たな環境づくりやコミュニティづくりを促していくというものでした。

北加賀屋のアーティストやデザイナーたちと連携することで、日本においては一般的に汚いイメージをもたれがちな市民農園のような空間ではなく、「楽しく」「美しく」「おしゃれな」農園を生み出していくことを目指します。さらに「耕す」「育てる」「収穫する」「調理する」「食べる」といった一連の“農”の活動を通じて、地域内外のさまざまな人たちのコミュニティをつくっていくことを目標としました。

ここで重要だと考えたのが、地域のアーティストや住民などをつなぐコーディネーターの存在でした。そこで、NPO法人Co.to.hana（以下、コトハナ）の代表である西川亮さんにコーディネーター役の相談がもち掛けられました。西川さんは、studio-Lが2008年に取り組んだ「issue+designプロジェクト」に当時、神戸芸術工科大学の学生として参加し、社会の課題をデザインで解決していく取り組みに興味をもつに至ります。その後studio-Lのインターンシップに参加してコミュニティデザインや市民活動のコーディネート手法を学び、大学卒業後に北加賀屋に事務所を構えてコトハナを設立しました。

これらの背景から、新しくできる農園のコーディネーターとして、コトハナのメンバーが管理人となりながら、人と人、人とプログラムをつなぐ役割を担っていくという体制を築きました。2011年からstudio-Lがサポートしながらコトハナとともに地域のアーティストや住民へのヒアリングやワークショップを実施し、プロジェクトへの理解や参画の輪をつくっていきました。

敷地が決まったあとには、最初のプロジェクトメンバーをSNSや北加賀屋地区で開催されるアートイベントでのチラシ配布などで募集し、農園づくりから参加型で進めていくことになりました。

最初に集まったメンバーたちは、敷地のゴミ拾いや草刈りなど一から自分たちの手で行い、専門家の指導も受けながら土づくりを進めていきました。また、機具庫や看板、オリジナルの農機具などを、北加賀屋を拠点にする建築家や工房の協力を得ながらメンバーとともに手づくりしていきました。こうして試行錯誤しながら農園をつくり上げてきた過程そのものが、みんなのうえんらではの価値を生み出してきたと言えます。

多様な人たちが参画する農園

2012年の夏にみんなのうえんの第1農園(150㎡)がオープンしました。ここで独自の"農"を展開するため、既存の市民農園にはないさまざまなことにチャレンジしてきました。その特徴の1つが、農園を借りる際の利用形態です。個人やグループ単位で借りる「レギュラーコース」だけではなく、個人で参加しながらそこで初めて出会う人同士で区画をシェアする「チームコース」というものがあります。ランダムにチーム化された人たちが協力し合い、日々の世話を行う仕組みを導入することで、農を通じた新たなコミュニティづくりを目指しました。

そこからさまざまなプログラムを企画するチームも生まれます。農や食をテーマにした勉強会や視察、ワークショップなどを通して自分たちにとっての学びやスキルアップの場を実施、土づくりや苗植えイベントの開催など、メンバー以外の人にもみんなのうえんに関わってもらう機会を展開してきました。さらに年に1度、名村造船所跡地(クリエイティブセンター大阪)を舞台に地域内外の食や農をテーマとしたさまざまな団体と連携した「みんなのうえん祭」を開催しています。

2013年には地区内に500㎡の第2農園がオープンしました。第1農園の3倍以上の広さがあり、隣接した空き住戸を改修してキッチン付きの集会スペースとすることで活動の幅もさらに広がっていきました。プロジェクトメンバーのミーティングや収穫物を使ったパーティーやイベントを開催するほか、料理研究家の協力のもと、子どもたちが野菜を種から育て、収穫し、調理するまでの一連の流れを体感するプログラムなども展開しています。また、地域住民が主体となった子ども食堂の開催など、地区住民との連携も生まれています。さらに今後は朝市の開催など、都市における地産地消の取り組みにもチャレンジしていくとのことです。

みんなで管理していく

みんなのうえんのプロジェクトは、企画から準備、活動初動の期間（2011 ～ 2013 年）は studio-L がサポートするかたちでスタートし、2014 年からはコトハナが運営主体として自立して管理運営を担っていきます。同社の金田康孝さんが担当者となり、日常管理など運営面はおもに 1 人で担当し、イベント時などはコトハナのほかのスタッフもサポートするという体制です。「2018 年の夏に大阪を襲った台風 21 号の際、みんなのうえんも被害を受けました。でも、メンバーが自主的に集まって瓦礫の整理などしてくれたおかげで、台風前よりもきれいになったくらいです」と、金田さんが話してくれました。農園を管理主体にすべて任せるのではなく、利用メンバーも一緒になって日常の管理やプログラムの企画運営を担っていくスタイルだからこそ、このような体制でのマネジメントが可能だと言えるでしょう。

長い目で価値をつくっていく

みんなのうえんの利用料はレギュラーコースで 1 区画につき月額 5,000 円、チーム

スムージーをつくり屋台で販売するワークショップの様子。農や食をテーマにした勉強会やワークショップが数多く開催されている

上下とも、名村造船所跡地（クリエイティブセンター大阪）を舞台とした「みんなのうえん祭」。食や農をテーマとしたさまざまな団体と連携した

コースでは区画はシェアとなって月額3,000円です。現在のメンバーは2つの農園合わせて60名ほどで、計40区画あります。1年更新となっていますが、多くの人が継続を希望しています。集会スペースはレンタルスペースとしても展開しており、レンタル料も収入となります。収入源はおもにこの農園利用料と集会スペースレンタル料となり、そこから金田さんの人件費など運営費用を賄い、農園の地代と集会スペースの家賃に相当する費用を千島土地へ支払う仕組みになっています【下図】。これには農園における施設整備や土づくりなど、初期投資に掛かる千島土地が負担してきた経費を少しずつ償還していく視点も含まれています。千島土地の北村さんは、「営利目的で行っているわけではないのですが、固定資産税に相当する額を目標にコトハナさんと毎年相談しています。実際にはまだその目標には届いていないのですが、少しずつ賃料を上げさせていただいています」と言います。千島土地としてのメリットを考える際、地区の地価上昇や人口増などについて聞かれることが多いが、「即効的なメリットは考えず、10年後、20年後を見据えていきたい」と北村さんは説明します。

しかし、地区の大地主として当初は想定していなかったメリットもあるといいます。農園利用をきっかけに、千島土地が所有する物件を借りてもらえるケースが生まれてきたことです。農園に隣接する文化

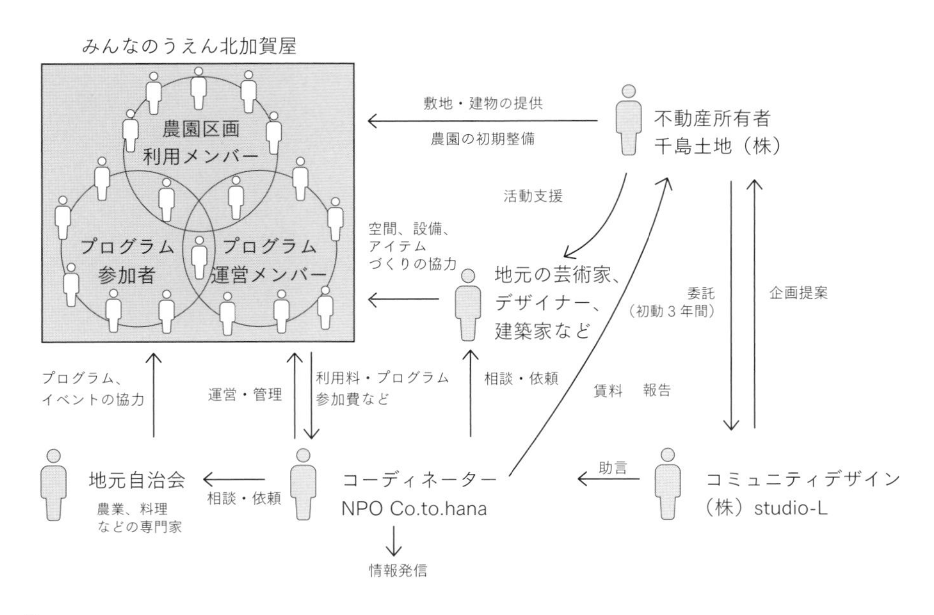

運営・活用システム

	収入		支出	
貸し農園	参加費	¥2,267,500	農資材、消耗品	¥183,786
ケータリング	売上	¥1,169,000	外注費	¥773,64
視察・講演	参加費	¥451,556	謝礼等	¥58,478
イベント	参加費	¥313,961	準備費	¥214,836
	アートプログラム	¥1,016,000	家賃・地代	¥309,200
	レンタルスペース	¥484,466	設備費	¥152,098
	カフェ	¥26,030	水道光熱費	¥136,851
	物販等	¥13,660	広報費	¥41,025
	クラブ会員費	¥12,000	その他	¥32,134
合計		¥5,754,173		¥1,902,051
			粗利	¥3,852,122
			営業利益	¥252,122

2015 年度収支の内訳

住宅をボードゲームサークルの集会所として利用するメンバーや、鍼灸院として開業したのち、さらに一軒家に家族ごと引っ越してきたメンバーも出てきました。

誤解を生まない広報戦略

みんなのうえんは一時期、利用者が伸び悩んだ時期もありましたが、現在は9割ほどの区画が常に埋まっている状況だと言います。コトハナ（当時）の金田さんは、「収益面でもう少し頑張っていきたいことと、平日の農園利用率を上げていきたい」と話します。しかし、やみくもに広報を頑張るだけでは難しい面もあるようです。「普通の貸農園だと思って来られると、誤解から活動が難しくなってしまいます。そういう意味では、現状でのSNSや口コミによる発信が適しているプロジェクトなのかもしれません」（金田さん）。今後、新たな広報のあり方にも取り組んでいきたいとのことでした。

新たな都市の“農”の風景づくり

みんなのうえんでは利用者が新たな仲間を連れてきたり、農園利用を辞めてもイ

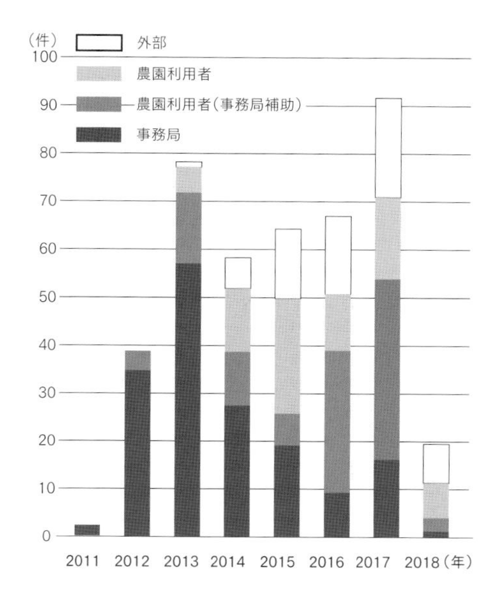

農園内でのイベント主催者の変化。
徐々に事務局から農園利用者へとシフトしている

子どもたちが野菜を種から育て、収穫し、調理するまでの一連の流れを体感するプログラムの様子

ベントには参加を続けたりするなど、地域内外の人のつながりが数多く生まれていることが特徴です。一般的な貸農園とは異なり、利用者が区画をシェアしながら協力して作物を育て、さまざまなプログラムのなかでお互いの関係性を深めていけることがその要因と言えるでしょう。かつてメンバーだった女性は「ここで一生の友達ができた」と言い、現在は福井県の耕作放棄地まで友達と一緒に出掛けて行き、地元の人たちと畑をやっているとのことです。また地域で活動していたデザイナーが農園利用をきっかけに農業の楽しさや価値に気づき、今は大阪･南河内の千早赤阪村のレンコン農家の手伝いをして、加工品のラベルデザインなども手掛けているそうです。

2019年1月、金田さんはプロジェクトに集中するためコトハナから独立して新たに(一社)グッドラックを立ち上げました。みんなのうえんの運営の新たな展開はもちろん、今回の経験をほかの地域で展開するためのノウハウ移転やコンサルティングなども手掛けていく予定です。東

収穫祭にて採れたての野菜や果物をメンバーの皆で調理する

京や大阪の基礎自治体や、民間マンションの運営会社などとの取り組みもスタートしました。未利用地の有効活用という意味だけではなく、そこでの人と人とのつながりや、活動が生み出す風景が、その土地や地域の価値を高めていくということを評価されたと考えられます。今後、都市部においても未利用地が増えていくのは間違いありません。みんなのうえんを1つのモデルとして、その地域の特性に合わせた、都市における"農"の風景が展開されることを期待します。

文:醍醐孝典／取材協力:（一社）グッドラック代表理事 金田康孝、（一財）おおさか創造千島財団 理事 北村智子

みんなのうえん北加賀屋 データ

主催者概要
（一社）グッドラック
プロジェクト活動開始:2012年
スタッフ人数:1名
みんなのうえん: https://minnanouen.jp

地域概要
対象レベル:敷地レベル
敷地面積:第1農園:150㎡、第2農園:500㎡
地域特性:大都市郊外部
用途地域:第一種住居地域
活用制度:賃貸借契約、定期借家契約、
木造密集市街地対策事業、都市緑化事業

Recipe 09

郊外駅前を再生する
まちのリブランディング事業

小田急電鉄沿線の座間駅前にリニューアルオープンした「ホシノタニ団地」。小田急電鉄が行政と手を組み、社宅をリノベーションしたこのプロジェクトは、団地再生事業における公共空間のもつ可能性を示唆しています。

ホシノタニ団地（神奈川県座間市）

Method

ホシノタニ団地の手法

49
夢を詰め込んだ絵でビジョンを共有する

プロジェクトの初期段階に関係者とビジョンを共有するため、アイデアの源泉となる風景を1枚の絵のなかに表現します。その絵は設計者が思い描く理想像ではなく、関係者が嬉しくなってアイデアをどんどん出してくれるような、当事者意識を駆りたてる絵でなければなりません。

50
想像力を刺激するネーミングで物語を伝える

土地のもつ歴史や記憶をプロジェクトのネーミングやタイポグラフィーで継承することで、プロジェクトのもつ「物語性」に気づきを与えます。この場所で暮らしてみたいと考えている人たちに物語はあえて語らず、それぞれの人たちの想像力に委ねる勇気をもつことが大切です。

51
地元の住民自らが地域プロモーションを行う

入居促進のプロモーションでは、事業者や設計者だけではなく、地元愛のある人たちに地域の魅力を語ってもらうことが効果的です。そのためには、イベントの開催主旨を入居促進とせず、地元の人たちにプロジェクトのビジョンを理解してもらうことを目的にすることが重要です。

社会の価値観が変動する今、従来の機能を失いつつある施設や場所から新たな価値を生み出すためには、どのような取り組みを行えば良いのでしょうか。「ホシノタニ団地」は、その答えを知るための宝庫と言えます。プロジェクトの中心にある考えは、1人ひとりが当事者意識をもって行動できる状況をつくり出すことにあります。そのための手法を、コンセプトメイキングならびに設計を担ったブルースタジオの取材をもとに紹介します。

52

菜園とカフェで新住民と旧住民をつなげる

団地というプライベートな敷地の中に、地域の人たちが利用できる「菜園」や「カフェ」というパブリックな場所を挿入することで、地域生活者と団地居住者のコミュニケーションを促します。誰もが共有できる“食”というテーマを、地域交流の中心に据えたところに見立ての妙があります。

53

持続可能な街づくりの仕組みをつくり出す

「持続可能な街づくり」とは「選ばれ続ける街づくり」のことです。地域の人々に愛情をもち続けてもらうためには、街づくりに関わる人たちが当事者意識をもって、“わたし”が“ここ”で“いま”何ができるかということを考え、行動できる仕組みをつくり出すことが大切です。

54

地域社会の課題解決が新たな価値を牽引する

民間事業者によって行われる地域イベントが、地域の新たな価値を見出す持続的な活動につながれば、高齢化や過疎化といった本来は行政が担うべき社会問題の課題解決の一助となります。地域社会に参画する価値と不動産の価値は比例する、という方向へ民間事業者の意識改革を促すことが官民連携の肝と言えます。

郊外型
不動産ビジネスモデルの模索

東京・神奈川に路線を抱える小田急電鉄（株）は本計画の企画当時、2015年をピークに沿線人口が減少に転じ、都心部から離れるほどその傾向が顕著になると予測していました。乗降客数が多く事業性の見込めるターミナル駅では、駅前周辺の再開発事業などによって人口流入を促すことが可能です。その一方で、急行も停車せず、街の特徴に乏しい郊外の駅を新たに開発するには事業リスクが高い。ターミナル駅から約1時間の距離に位置する神奈川県座間市の座間駅も同様で、駅前の自社用地は、今までとは異なるアプローチによる開発を模索する必要がありました。

この自社用地にあった社宅の老朽化による閉鎖に伴い、2011年に事業の検討がスタートしました。しかしながら、敷地の半分が第一種低層住居専用地域に指定されていることや地域の賃料相場の低廉さもあって、新築による賃貸事業や商業施設は難しいとの判断に至ります。そのような折、小田急電鉄のメンバーが、リノベーションを得意とする建築設計事務所（株）ブルースタジオの手掛けたUR都市機構の団地再生事業「AURA 234 多摩平の森」を視察。既存建物の間にある広い空地を活用した開放的な世界観を打ち出す手法が、地域の新たな不動産ビジネスモデルとなることを確信します。また、同時期に座間市から、団地建物の一部を市営住宅と子育て支援センターとして借り上げたいとの提案があります。

市の借り上げにより空室リスクを回避でき、子育て支援センターは人を呼び込む役割を期待できる。これらの条件が整い、小田急電鉄はブルースタジオとともに、リノベーションによる団地再生に踏み切ることになります。

“公”と“私”の間にある“共”

このプロジェクトのコンセプトメイキングと設計を担ったブルースタジオは、不動産事業のリノベーションを通じて、建物の価値向上だけでなく地域の持続的な価値創造を実践しています。この現場を率いる大島芳彦さんは“公共”という言葉を“公”と“共”に分けて考えています。“公”はオフィシャル。それに対して“私”はプライベート。“共”はパブリックであり、“共”という概念によって、境界で分断されてきた“公”と“私”をつなぎ直すことができるはずだと。

座間の駅前広場という“公”の空間に対し、フェンスで囲われた社宅敷地は“私”の空間そのものでした。街の中に境界がつくられるほど、街全体の不動産価値は下がるというのが大島さんの考えです。

（上）座間市の運営する子育て支援センター。子どものためのおもちゃや絵本のあるプレイルーム、赤ちゃんコーナー、ベビーベッド、情報掲示板、授乳室、相談室などが無料で利用できる（中）地域の人たちに向けた貸し菜園。地元の野菜づくり名人が専任アドバイザーを担っている（開業当初）（下）子育て中のお母さんたちが多く利用するカフェの様子（開業当初）

街の顔となる駅前に“共”＝パブリックの空間が生まれることで、地域の人が誇りに思える場所をつくり出すことができれば、座間という街の新しいブランディングにつながるのではないか。そのようなビジョンを背景に、敷地の中だけで完結するような駅前における宅地開発の定石を覆してでもチャレンジしようという雰囲気が、事業者チームで醸成されたそうです。

現状規模では2人暮らししかできない団地居住というネガティブな要素も、この場所に愛情をもってもらいやすいポジティブな要因として捉え直します。子どもが生まれて団地を出なければいけない状況になったとき、座間周辺の戸建てに住んでもらうという循環型の不動産経営を提案。つまりは、定住人口と交流人口を生み出す新たな装置としての駅前賃貸住宅を目指すことにしたのです。当初は事業者にとってあまり策がないという認識でしたが、時間を掛けて議論することで、このプロジェクトのアプローチそのものが、郊外の置かれた状況に一石を投じることができそうだということを共有するわけです。

ビジョンを実現するビジュアルとネーミング

大島さんたちがプロジェクトの初期段階に提示した1枚の絵には、実現すべきビジョンのすべてが集約されています。それは設計者が描く理想像ではなく、事業

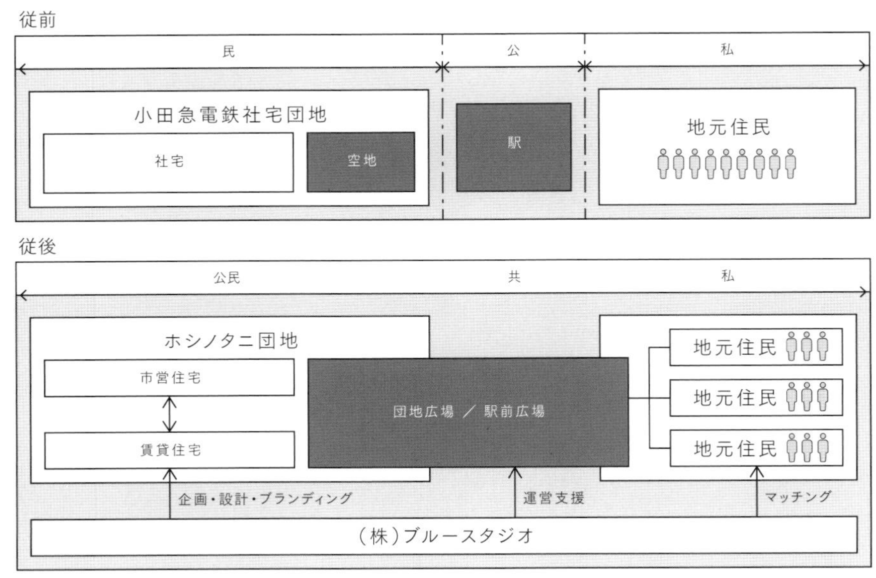

運営・活用システム

者が当事者意識をもてる絵でなければならないと大島さんは言います。事業者メンバーは技術者として鉄道事業に携わっていた人も多く、団地の広場からホーム越しに団地の広場が見えることもあり、古い車両を置いたらどうだろうとか、彼らが嬉しくなってアイデアをどんどん出してくれるようなアイデアを絵に込めています。

また、「ホシノタニ」という団地の名前は、この地で鎌倉時代に建立された星谷寺に由来するそうで、古刹星谷寺には昼でも満天の星を映すという伝説の井戸があるとのこと。地域の世代を超えた人と人の賑わいと対話を、星と星のつながりによって浮かび上がる星座に見立て、団地にある4つの建物の壁面には春夏秋冬の星空が表現されています。土地の記憶をネーミングやタイポグラフィーで継承すれば、新たに暮らす人たちがこの場所ならではの物語に入っていけます。この街だからこそ感じてもらえる「暮らしの物語」を大切に考えているから、プロジェクトの名称を決めるときにはものすごく時間を掛けてブレインストーミングをするそうです。

タイポグラフィーも同様。それさえしっかり押さえておけば、物語はわざわざ語らなくていい。気がついた人が知りたいと思えばいい。地域の歴史があって、場所のコンテクストがしっかりとあれば、あとはそれぞれの人たちの想像力に委ねればよいと思っている。それが大島さんたちブルースタジオの考え方なのです。

広場のブランディングと プロモーション

入居対象を設定するにあたってはマーケット調査を実施し、東京・世田谷区エリアに住む比較的高い賃料を払っている若い世代にターゲットを絞り込んだそうです。そして、郊外に対してどのような夢を見せられるか、どのようにすれば彼らを郊外に引っ張り込めるか、という考え方でプロモーションを仕掛けました。これらのプロモーションは、電車の中吊り広告や駅構内の看板を利用。自前の広告媒体を使えるという利点をおおいに活用しています。

その一方で、都心居住者にアピールするための地域プロモーションは、座間エリアで生活する地元愛のある人たちにやってもらうというのがブルースタジオのセオリーです。事業者や設計者が物件の魅力を語るのではなく、地域の生活者に土地の魅力を語ってもらったほうが明確なメッセージを届けられると考えるからです。実際に生活している人に街の自慢を語ってもらうことで、外からやって来る人たちに、こんな街なら住んでみたいと思ってもらうことが重要です。よって、オープン直後のイベントは、入居を促進するためではなく、座間で生活している地域の

ブルースタジオがプロジェクト初期段階に提示した、ビジョンのすべてが集約されたイラスト

春夏秋冬の星空が表現された
4つの住居棟の壁面デザイン

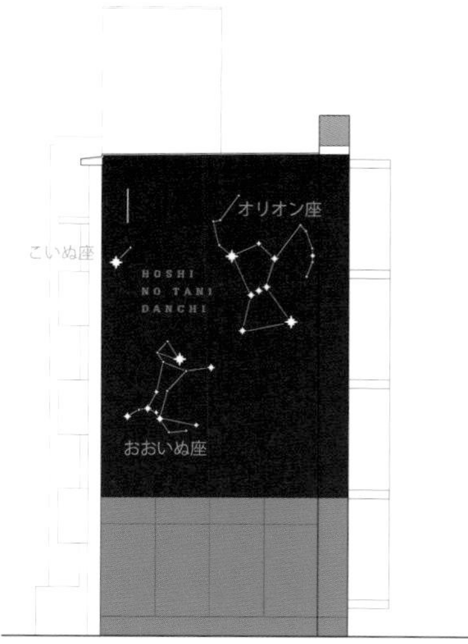

ホシノタニ団地 1号棟(冬の大三角)

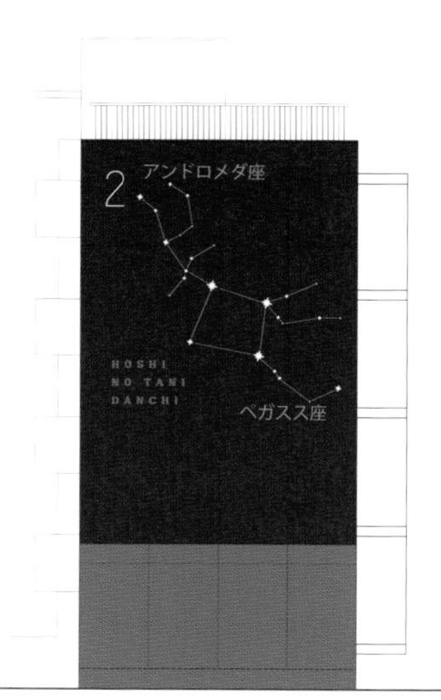

ホシノタニ団地 2号棟(秋の四辺形)

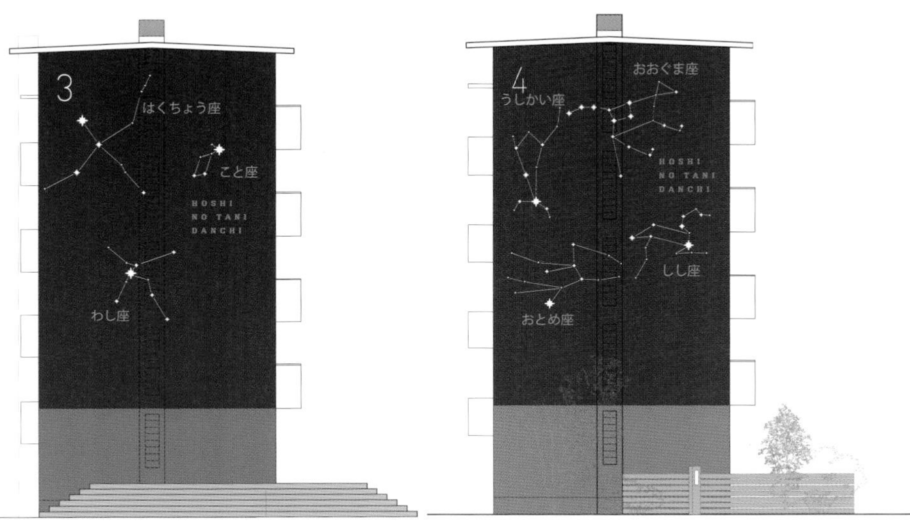

ホシノタニ団地 3号棟(夏の大三角)

ホシノタニ団地 4号棟(春の大三角)

人たちに「ホシノタニ団地」のビジョンを理解してもらうことを一番の目的にしているそうです。

とどのつまりは、「建物のみならずリーシングをデザインすることが、ブルースタジオにとっては一番大切な仕事だ」と大島さんは言います。彼らが目指しているのは入居者募集ではなく、「当事者募集」をするためのブランディングとプロモーションなのです。

地域と人をつなぐ
コミュニケーションスキル

広場で開催されるイベント「ホシノタニマーケット」は、小田急電鉄からブルースタジオが直接業務を請け負っています。出店者は座間エリアに所縁ある人々で、場所代などは一切徴収していません。

日常的には、菜園事業者が収穫祭も兼ねた食に関するイベントを不定期に行っています。菜園の募集は、工事中の仮囲いのある春にスタートさせました。駅の郊外には元気な高齢者がいるので、借りてくれる人も多いだろうと見込んでのことです。地域の人たちが利用する菜園が、賃貸住宅のど真ん中にあるという風景をつくり出すことが狙いであり、街の生活者と団地の居住者とのコミュニケーションを誘発する仕組みの1つとして捉えています。菜園の存在が居住者の地域愛を育むのに大きく貢献しているのではないか、とは大島さんの見立てです。

また、駅周辺に気軽に立ち寄れる店がないので、菜園事業者の運営するカフェは地域の子育て中のお母さんたちが確実に来てくれることはわかっていたそう

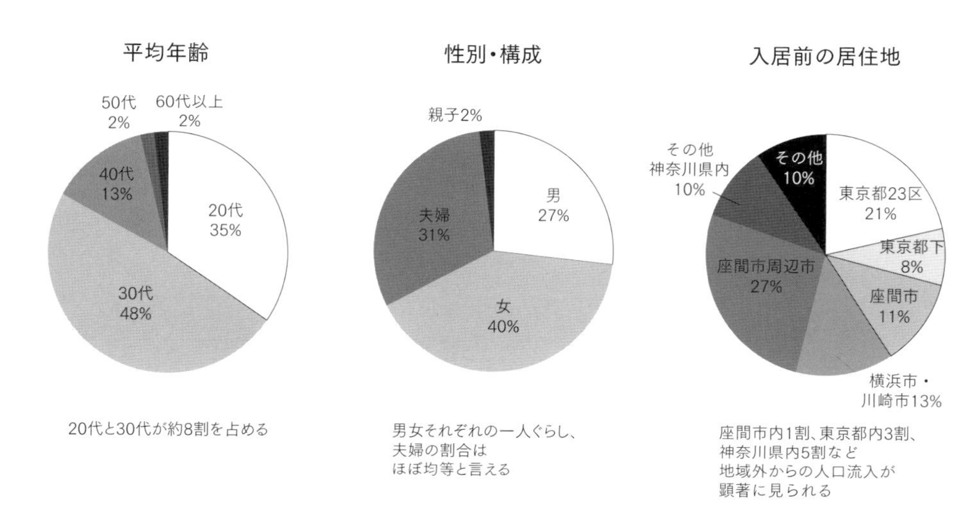

「ホシノタニ団地」入居者の属性(2015 年開業当時)

です。お母さんたちにとって、“食”という共通の話題をもてるカフェがあることで友達ができるきっかけになる。これが豊かな暮らしの文化をつくり上げる。また、常に大人の目があることで、この場所を訪れる子どもやその親御さんたちがつながりやすい状況がつくられている。その後、カフェに求められる地域の拠点づくり機能を更に強化するため、現在は（株）グランドレベルが運営する「喫茶ランドリー」が入居しています。

当初の菜園の専任アドバイザーは、地元の野菜づくり名人のおじいちゃん。このようなコミュニケーションスキルの高い人たちによって、世代を超えた人と人の賑わいと対話の風景がかたちづくられています。

選ばれる駅と街を目指して

地方創生のテーマは選ばれる地域をつくるということにほかなりません。鉄道の沿線もそうだし、郊外の団地もそう。選ばれる駅、選ばれる街であり続けることが大切です。座間という街が、これからも選ばれ続ける街であるためにどうすればよいか。「オンリーワンであることはもちろん、地域に生活している人たちに愛情をもち続けてもらうことが何よりも大切だ」と大島さんは言います。

地域の人々に愛情をもち続けてもらうためには、事業者が“わたし”、“ここ”、“いま”の3つの視点で、今の自分たちに何ができるかを常に考えることが大切だと大島さんは考えています。“わたし”とは小田急電鉄のこと。鉄道事業という公共性の高い事業に携わる事業者だからこそ、当事者として駅周辺の街の中に表現できる世界観が必ずあるはず。“ここ”とは、駅前という立地にあって大きな広場や緑地があるということ。そして団地の後背には豊かな里山が今も息づいている。駅という社会基盤と里山という社会資本をつなげられる可能性がきっとあるはず。“いま”とは、少子高齢化社会にあって、子育て世代やシニア層にアピールできるタイミングだということ。大切なことは地域社会に参画する価値と不動産の価値は同じだと思えるローカルな視点をもてるかどうかなのです。

場の記憶を呼び起こす場所づくり

今後は駅前を中心に、エリア全体のブランディングを図っていく予定です。また座間エリアに加えて世田谷区の経堂エリアおよび町田市エリアの一部を対象にした沿線が、国土交通省の「住宅団地型既存住宅流通促進モデル事業」に採択されました。小田急電鉄ではシニア層や子育て世代向けの住まいや暮らしに関する商品やサービスを拡充することで住み替えを促進し、各エリア間の活性化につなげ

団地の広場で開催されるイベント「ホシノタニマーケット」。座間エリアに所縁ある人々に出店してもらっている

ていく方針です。これらの大きな流れを生み出したのがホシノタニ団地です。人と人がつながれる場所には、場の記憶を呼び起こす力があります。里山へと続く駅前の空間に、子どもの笑い声と人々のおしゃべりで満たされた広場があります。このかけがえのない日常の風景が、駅前を含む公共空間を種地にした地域再生の先進事例とされる所以なのかもしれません。

文：平賀達也／取材協力：（株）ブルースタジオ専務取締役 大島芳彦

敷地には子どもたちが好きな大きな原っぱがある

ホシノタニ団地 データ

主催者概要
小田急電鉄（株）
プロジェクト活動開始：2015 年
ホシノタニ 団地：https://www.odakyu-fudosan.co.jp/sumai/mansion/hoshinotani/index.html

地域概要
対象レベル：街区レベル
敷地面積：8,166.45 ㎡
地域特性：首都圏郊外部
用途地域：第一種低層住居専用地域、
第一種住居地域
活用制度：
住宅団地型既存住宅流通促進モデル事業

Chapter

期間限定型

Recipe 10

デベロッパーが推進する
仮囲いのなかの「みんなの学び場」

大規模複合開発の仮囲いの中で、地域住民の「なにかはじめたい」ことを一緒につくり、開いてきた「吉日楽校」。通常は閉ざされている仮囲いの中を開き、街への新しい挨拶のかたちを模索しています。

吉日楽校（神奈川県横浜市港北区）

Method

吉日楽校の手法

55

工事現場の一部を街に開く

大規模開発プロジェクトの工事現場は数年間仮囲いに閉ざされ、近隣の住民にとっては竣工後に突然大きな施設が現れることと同じです。工事期間や区分のズレを使って、一部を市民が活動できるように開くことで、完成後に続くエリアマネジメントにつなげることが期待できます。

56

アートディレクション、デザインコントロールは丁寧に

街に開く、市民のための場所だからこそ、最初のデザインは丁寧に行います。テーマカラー、ロゴ、アイテムなどのトーン＆マナーを揃えていくことで、ゆるやかに統一された世界観をつくることができます。

57

最初の期待値は低く、できることから始める

地域コミュニティを巻き込んだプロジェクトを始めるとき、すぐにご近所の人たちが喜んで自発的に参加してくれる、みんな待ち望んでいた場所を使ってくれる、と事業者側は期待しがちです。ですが、地域の人から見れば急に異質なものが街に現れるようなもの。すぐに市民参加のコミュニティができるわけではないので、事業者目線だけの数字目標を掲げず、小さく丁寧なコミュニケーションを地元の人たちと積み上げていきましょう。

「吉日楽校」の大きな特徴は、工事現場の1区画を街に開くということ。工事現場でなくとも、手頃な空き地があれば応用可能です。ここで紹介するプロジェクトを成功に導くための手法は、企画運営者の視点によるもの。空き地の大きさ、持ち主、立地などは違っていたとしても、あなたの街でどの部分が真似できそうか、想像してみましょう。

58

何もない日をつくる

運営というと、何かワークショップやイベントをこちらが仕掛け続けなくてはいけないような気がしてしまいます。しかし、毎週違うイベントを仕掛け続けるのはネタ切れもしますし、費用もかさみます。イベントは数を絞り、ただスタッフがいるだけの日をつくって、そこに来てくれた人とコミュニケーションを取りましょう。その会話のなかから、地域の人が自発的にやりたいことがわかりますし、彼らが活動し始める余白ができるのです。

59

地域の大学などと連携する

地域に大学や学校があれば積極的に連携しましょう。研究室や授業が実践したり研究したりしていることと、街の真ん中で実験できる場所をうまく掛け合わせることができれば、地域の人にとっても大学の知的リソースに触れるいい機会になります。

60

工事工程の変化に柔軟に対応できるような設えにする

工事が早まったり遅れたりすることで、使えるスペースや条件が変わります。設えは仮設的なものにしてフットワークを軽く、広げたり縮めたりすることができるようにしておくことで、全体の枠組みが変わっても柔軟に対応できるようになります。

工事中の風景に地域住民が参加できる余白をつくった「吉日楽校」。写真はこの場所で開催された第1回目の「吉日祭り」の様子。参加者自ら提案した企画も多く、画面左手はマシュマロなどを焼いて楽しめる「焚き火 BAR」、奥は青空のもとで催された「吉日美容室」、中央は子どもたちとのレジャーシートづくり、右手にはフリーマーケットなど。ほかにもさまざまな企画が催され、来場者は思い思いにこの場所と時間を楽しんだ

snow peak

野村不動産グループによるエリアマネジメントへの挑戦

横浜市港北区箕輪町、東急東横線の日吉駅と綱島駅の中間あたりに「吉日楽校」は位置しています。このプロジェクトは、野村不動産グループによる分譲マンション「プラウドシティ日吉」を中心とした大規模複合開発の工事期間中の敷地の一画を地域の人々へ開き、新しくできる建物をそれに付随したエリアマネジメントへとつなげるため企画されました。

敷地は日吉の幹線道路である綱島街道に面しており、数百メートルにわたる工事用の仮囲いの中にあります。もともと大型スーパーと野村総研の研究所があった場所を再開発し、総面積約5.6haの敷地に、地上20階1,320戸の大規模マンション、複合商業施設、地域交流スペース、保育園、健康支援施設、サービス付き高齢者向け住宅などを計画。2022年春の全体竣工に向け工事が進んでいます。隣接して新設市立小学校も同時期に建設されています。

大規模かつ長期間にわたる建設プロジェクトは、一般的にいくつかの工期に分けられ、段階的にオープンしていきます。工事中は地域に向けては閉ざされ、住宅購入希望者向けのマンションギャラリー以外は市民との接点はありません。

野村不動産グループにとって、市と連携協定を締結しながら地域を巻き込むかたちでのエリアマネジメントは初めての取り組みとなります。建物を建てるだけでなく、長期にわたって人々が緩やかにつながる街づくりが重要になるとの認識のもと社内で研究を続け、これら社内外の課題を複合した取り組みとして、プロジェクトが立ち上がったのが2016年のことでした。

雪だるま式に仲間を集める

野村不動産（株）が事業主体として取り組んだ「ふなばし森のシティ」（2014年7月全体竣工、千葉県船橋市）という大規模複合開発エリアでは、マンション居住者と企業とがエリアマネジメント協議会をつくった前例があります。エコ活動などの促進にエリアマネジメントが大きな役割を果たし、取り組みが国内外から評価を受けたことで、エリアマネジメントに対する社内的な期待感が高まっていました。

日吉では一歩進めて、開発エリア外の住民も巻き込むことが求められました。当時、野村不動産ホールディングズ（株）の経営企画部にいた石原菜穂子さんは、事業推進部門と営業部門を社内チームとして取りまとめ実現に向け動き出します。

エリアマネジメントのサポートを行っていた石塚計画デザイン事務所の勧めによ

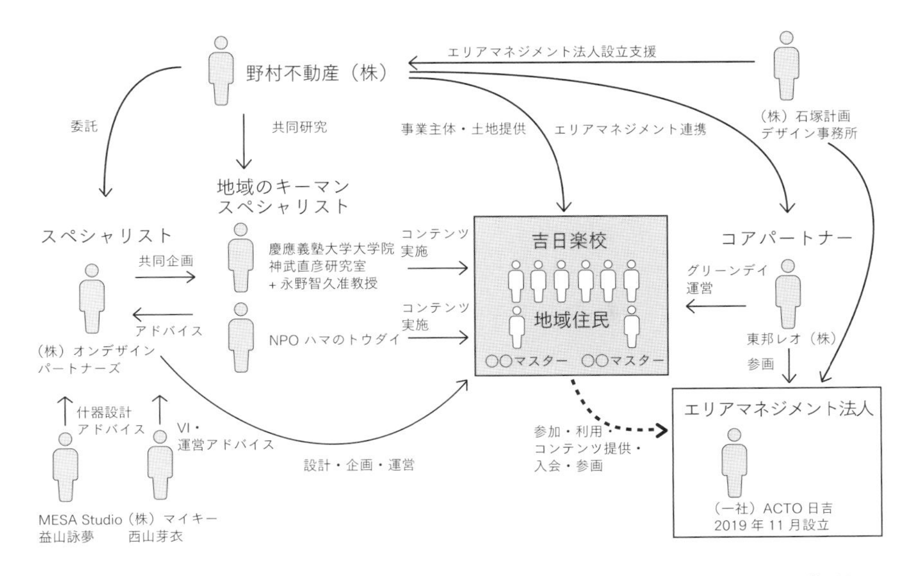

運営・活用システム

り、地域のキーマンへヒアリングし、さらに別の人を紹介してもらう雪だるま式のリサーチを開始しました。そのなかでNPO法人ハマのトウダイ岡部祥司さん、日吉にキャンパスをもつ慶應義塾大学大学院システムデザイン・マネジメント研究科（以下、SDM研究科）の神武直彦教授と知り合い、工事中の場所でどんなことができるかアイデアを練っていったそうです。

工事工程上、1,000㎡強の土地がしばらくの間手を付けられずに空くことがわかり、この場所を地域に開けないか社内外の調整に着手。そして2018年に岡部さんの紹介で、空間の設計と拠点の運営担当として設計事務所の（株）オンデザインパートナーズがチームに入ります。さらにアートディレクションと運営アドバイスに、西千葉で実験的広場「ハローガーデン」を運営する（株）マイキーの西山芽衣さん、什器デザインに慶應義塾大学助教の益山詠夢さんを引き込み、「みんなの学び場」をテーマにした吉日楽校のコンセプトが誕生しました。そして立ち上げから約1年後、ようやくオープン漕ぎ着けました。

石原さんは「今回のように前例があまりないプロジェクトを成功させるには、社内の理解を得ることがとても重要」と言います。空間ができあがると、まずは安全確認と写真撮影のために社員限定のプレオープンイベントを実施。多くのグループ社員が家族総出で駆けつけてくれました。オープン後は、説明会などで多くの写真によってシーンが共有されたことで、じわ

コンセプトスケッチ

(左) 木目調の単管で設えた「吉日楽校」校門　(右) 雑木林に設置された椅子や展示台を兼ねたオリジナル什器。施工を請け負う三井住友建設(株) がクローバーや芝を青々と育て、既存樹を多く残すため工事工程を工夫するなど協力をしてくれた

第１回目の「吉日祭り」。「吉日美容室」、DISK JOCKEY、「焚き火 BAR」、フリーマーケットなど地域住民が主役の企画が催された

じわと理解が浸透していきました。担当者も増員され、現在プロジェクトを推進し、さらに盛り上げているのは、途中からエリアマネジメント専任者として着任した伊藤学さん。「企業内新規プロジェクトは、立ち上げたあと、継続されることが重要。伊藤にバトンを引き継げたことは一つの成果」と石原さんは振り返ります。

地域住民が主体の企画

吉日楽校の空間は基本的にはすべて屋外。野芝を生やした広場と雑木林に椅子や展示台を兼ねたオリジナル什器を複数台配置し、そのほかのアイテムはアウトドア用のテントやタープで揃えています。室内と呼べるのはそれらを収納するための倉庫として使う 2 台のコンテナだけです。木目調の単管で設えた、綱島街道に面したゲートを校門に見立てて、学び合いの場をスタートさせました。

日吉をひっくり返して「思い立ったが吉日」との思いで名づけたこの場所では「なにかはじめる、なにかはじまる。」をキーワードにして、地域住民の人々がこれまで「やってみたかったけどやれなかったこと」をきっかけに交流することができるのではないかと考えたそうです。そうすることで、これから新しいマンションの住民が増えたときに、もともと住んでいた人たちが包容力をもって彼らを受け入れることができるのではないか、と。

工事仮囲いを地域に開くとはいえ、安全管理上 24 時間週 7 日開けっ放しにはできません。公園のように常にオープンになっている公共空間ではなく、私有地を公共的に使う実験でもありました。その分、公園ではできないことに積極的に取り組もうとしています。

2018 年 7 月にいよいよ地域住民に公開し本格的にスタートしましたが、最初はプロが指導する教室型ワークショップをいくつか開催して集客しようとしていました。しかしそういうやり方よりも、地域住民のなかから主体になってくれる人をフィーチャーして得意なことをしてもらうほうが盛り上がるし、意外と近所にそういった人材はたくさん住んでいるということに気がついていきました。

たとえば焚き火を囲んで語り合う「焚き火 BAR」では、お客さんとして来ていたお父さんがじつはボーイスカウト歴 20 年のベテランだったことがわかり、途中から焚き火マスターとして焚き火の管理や手本を任せることができました。また平日昼間に訪れる小さいお子さんがいるお母さんのグループは、自主的に「防災ピクニック」をしたいと企画書まで持ち込んで実現。防災グッズをそろえたり食料をストックしたりすることに関心はあるけれど実際に使ってみたことがない、というお母さんたちがピクニックのように非常食を持ち寄り食べてみるというものでした。とても良い経験ができたと、彼女たちは吉日楽校のさまざまな企画に積極的にコミットする中心的なグループになっていったそうです。

そのほかにも、ピラティスの指導ができる人、アクセサリーづくりのワークショップができる人、DJができる人、フリーマーケットをやってみたい人、などいろいろな人々の「何かを地域でやってみたい」が集まり、そういったコンテンツの集大成となる「吉日祭り」を2018年の11月と、2019年の5月の2回開催。それぞれ500人以上の来場者を集め、大盛況のうちに終わりました。

企業や大学をパートナーに

これらのイベントやワークショップは、事務局である（株）オンデザインパートナーズが月に3、4回のペースで企画していました。イベント時以外にも、日常的には毎週火曜日を「open day」として開場。ただ門を開けているだけではなかなか人は入ってくれないので、入り口にスタッフが座り、来る人を「待ち伏せ」てはこの場所の説明をして、利用を促す作戦です。平日昼間はまだお子さんが小さなお母さんや定年退職後の老夫婦などで、利用者はほぼ同じ人たちです。一方週末や休日のイベントには、比較的家が遠い人や内容に共感した人もやって来る。とはいえ基本的には子育て世代のファミリーが多く、スタッフは日吉地区のその世代の厚さを実感したそうです。

また2018年の冬頃から、植栽管理を請け負う東邦レオ（株）が運営に加わり、毎週木曜日を「green day」としてオープンする体制になりました。そこでは彼らが専門とする植物を扱ったり、昔遊びのようなものづくりをして、いつもと異なる来場者層にアプローチすることができています。彼らはこの開発プロジェクトで地域交流スペースにもなるグリーンショップを構える予定になっており、エリアマネジメント組織との関係が深いコアパートナーのうちの1社です。

さらに吉日楽校の座組みで欠かせなかったのが、慶應義塾大学大学院SDM研究科の「スマートスポーツ教室」です。神武直彦教授、永野智久准教授、中島円特任准教授が中心になり実施したプログラムで、IoTやセンシングの技術とスポーツ科学を融合した小学生向けの教室を月1回のペースで半年間継続しました。データを取って科学的な視点で運動を捉えることで、自分の成長を実感することができ、苦手な子どもが運動を好きになるという点が話題となり、募集時には抽選になるほど人気のプログラムでした。こうした日吉にある大学との連携も非常に重要な要素でした。

(上)慶應義塾大学大学院 SDM 研究科による子ども向けのスマートスポーツ教室
(下)「green day」の様子

企業色控えめが功を奏する

運営面での課題は、日吉の街との連携をもっと強められると良かったのではということだそうです。告知やイベントの実施には拠点の外の人や団体にも協力してもらいましたが、街に出て開催するコンテンツはもてなかったので、今後の反省と言えるのでしょう。

また石原さんは、野村不動産としては吉日楽校のプロジェクトをこれからできるマンションの新しい付加価値のイメージとして結び付けることができず、関係なく見えてしまったことが課題と明かします。最初から販売戦略のなかに位置付けることができていれば、予算も時間も集客ももっと余裕をもって取り組めたかもしれないということです。とはいえそれもあとから振り返ればこそで、マンションのプロモーションに直接乗っていなかったからこそ企業色が控えめで、マンション購入検討者に限らず多くの地域住民がフラットに関われるプロジェクトになったのかもしれません。

みんなにとっての「吉日」の実現を目指す

いよいよ吉日楽校の一画にサービス付き高齢者向け住宅の建設が始まると、活動に使える場所が今までの約5分の1程度に縮小される予定です。校門も解体し、コンテナも撤去。広場がなくなる分球技のようなものはできなくなりますが、小さいスペースだからこそできるようなプログラムを考えていくそうです。

そして本題である複合開発の工事が順次進み、2020年春には3分の1の街区と新設小学校が竣工し、地域交流スペースもオープンします。着々と新しい入居者も引っ越してきます。そういった方々を柔らかく受け入れ、昔から住んでいる人も新しく住み始める人も、「何かこの街でやってみたい」と思い立ったらその日から始められるような――。そんな、みんなにとっての吉日を実現できるように街を耕していこうとしています。

文：西田司・小泉瑛一／取材協力：野村不動産ホールディングス（株）石原菜穂子

吉日楽校 データ

主催者概要
野村不動産ホールディングス（株）
経営企画部 R&D 推進課
（現：ICT・イノベーション推進部 R&D 推進課）
プロジェクト活動開始：2018年7月
スタッフ人数：スペシャリストやパートナーにより構成され30名前後
吉日楽校：https://www.facebook.com/kichijitsugakkou

地域概要
対象レベル：地域レベル
吉日学校実施面積：
サービス付き高齢者向け住宅敷地 2,600 m²の一部
地域特性：首都圏郊外部
用途地域：準工業地域
活用制度：工事敷地の暫定利用

地域とつながるまちづくりを目的とした吉日楽校のスケジュール

▷ 第1期(2018年度)　　▷ 第2期(2019年度)

	～6月	7月	8月	9月	10月	11月	12月	1月	2月	3月	4月	5月	6月
目標	耕す期	種まき期①			種まき期②								お休み期間

耕す期（～6月）

種まき期①（7月～9月）

幅広い分野で地域とコミットした活動を行い、地域のプレイヤーが生まれやすい土壌をつくることで、まず吉日楽校の取り組みについて知ってもらう

- ●場所の周知・認識
- ●プレイヤーの巻き込み

種まき期②（10月～5月）

地域住民の「何か始めたい」ことを吉日楽校で小さく始める。
地域住民が住民を巻き込むきっかけづくりもサポートする

- ●「楽しむ側」から「楽しませる側」へ
  単に「イベントに参加する」のではなく、参加した住民が主体的に「この場で何かしたい。できそうだ」と思える、そしてその想いを受け入れられる余白づくりを行う
- ●主体メンバーの発見、巻き込み
- ●主体メンバーの活動をサポート
- ●地域住民による「何か始めたい」を集めた祭りをつくる

お休み期間（6月）

- ●休み期間中にもSNSでの告知や振り返りを行うことで期待値を保つ

企画

- ☆ open day!スタート(8月～毎週火曜日)
- ☆ green day! スタート(毎週木曜日)
- ☆ 防災ピクニック スタート　(毎週火曜日)
- ☆ スマートスポーツ教室(月に1度)
- ★ 星空教室 #1
- ★ 星空教室 #2
- ★ 星空案内人とお月見しよう！ #3
- ★ 望遠鏡マスターになろう！ #4
- ★ 美教室 #1 テントで足湯
- ★ 美教室 #2　ストレッチ
- ★ 美教室 #3 親子でストレッチ
- ★ 春の準備をしてみる日
- ★ フリーマーケットとピクニックの日
- ★ 焚き火BAR#1
- ★ 焚き火BAR#2
- ★ 焚き火BAR #3 HalloweenNight
- ★ 焚き火BAR #4
- ★ 焚き火BAR#5 X'mas Night
- ★ CAMPIG × 焚き火BAR #6
- ★ プレオープンイベント
- ★ グランドオープンイベント
- ★ 吉日祭り #1
- ★ 吉日祭り #2

2018年7月にオープンを果たした「吉日楽校」。このスケジュール表では、第1期から翌年2019年度の第2期「吉日楽校 mini」への移行と継続法について示しています。

2019年度から翌年以降に掛けてフェーズ（段階）を4期に分け、これに対応するように工事スケジュールのような外的な要因、そしてイベントの企画や制作のスケジュールなど具体的な工程を計画していきました。

▷ 2020年度

7月 8月 9月	10月 11月 12月	1月 2月 3月	4月 開発後→
育てる期①	**育てる期②**	**芽が出る期**	**少しずつ花が咲く期**
第1期（2018年度）に活動した地域住民とともにこれからの吉日楽校について考えていくことで、さらに吉日楽校を自分ごと化してもらい、主体性を育んでいく	第1期・2期（2019年度7月以降）に参加した地域住民とともに、次の、また新しく移り住む住民を自然に迎え入れる受け皿を形成し、巻き込むことで常にバリューアップしていく	地域住民とともに場をつくっていくことで、この場への愛着や価値を生み出し住民が発信源となった「何か始めたい」の連鎖を生み出していく	吉日楽校の場は終了するが、ここで生まれた地域との「つながり」を継承していく。開発後に一から関係性づくりが始まるのではなく、地域住民が地域への愛着を連鎖させて輪が時間を掛けて広がっていくことを目指す
●工事中の期間はマンションモデルルームで吉日楽校の取り組みを継続 ●開発後にこのエリアを担っていくコアパートナーと吉日楽校の取り組みを継続させるビジョンづくり	●吉日楽校をみんなでつくる小さくなった吉日楽校で住民と「自分たちが楽しむための場」をつくる ●「自分たちの街を自分たちで楽しむ、つくる」というマインドの形成	●住民が住民を「楽しみながら」巻き込む ●住民が「何か始めたい」と手を挙げやすい仕組みづくり ●open day! 再開（12月～）で日常のなかで暮らしに豊かさを生み出すきっかけづくりを行う	

- 吉日楽校工事期間 →
- 吉日楽校mini準備期間 →
- モデルルームの活用スタート →
- ☆ open day! スタート（12月～毎週木・土曜日）→
- ★ Yellow day!（吉日楽校をみんなでつくる！）
- ★ 美教室 #4 inモデルルーム 女の子のためのプリンセスメイク
- ★ 空き地ディスコ！ ミラーボールづくりworkshop
- ★ 空き地ディスコ！
- ★ 焚き火BAR #7 X'mas Night
- ★ 吉日大掃除と忘年会
- ★ 焚き火week
- ★ 吉日ピクニック
- ★ 吉日祭り#3（5月）

Recipe 11

グローバル企業が挑む
「パーク」という持続可能なプラットフォームづくり

2018年8月、銀座の一等地を一般の人々に開放し、世間を驚かせた「Ginza Sony Park」。パークという概念によって新旧のビルの価値をつなげようとしている事業プロセスに、このプロジェクトのもつ面白さがあります。

Ginza Sony Park（東京都中央区銀座）

Method

Ginza Sony Parkの手法

61
既成概念を覆すことで新たな価値を創造する

「建てないでパークにする」という選択は、「人のやらないことをやる」というソニーのスピリットに立ち返ることで生まれた発想です。事業のプロセスを自己の再定義につなげることで、社会に貢献しながらも自らの価値を高める事業手法を見出すことができます。

62
小さな場所から世界に向けて発信する

情報化社会がグローバル化するほど、物語性のあるローカルな場所とつながることが重要になります。誰もが訪れやすいパークのような場所をインターフェイスにして、企業の社会的な貢献や活動の情報を世界に向けて発信することでブランドの持続性を高めます。

63
マインドを共有できる会社を運営パートナーに迎える

コトづくりを行う運営パートナー選びは「面白いことを一緒にやろう」というマインドが共有できるかどうかを判断基準にしています。そのためには、プロジェクトリーダー自らが交渉を行える環境を整えることが、間違いのないパートナー選定のカギとなります。

行政も企業も、SDGs（持続可能な開発目標）という言葉を掲げ、世界の共通課題を解決するために何かしらのアクションを市民や消費者に促していますが、課題解決の本質的な取り組みに出会えることはめったにありません。持続可能な社会を実現するためには、地球と地域を同時に俯瞰できるビジョンや、モノづくりとコトづくりを同時に発想できるプラットフォームが必要になることでしょう。世界企業であるソニーが、「パーク」というプラットフォームに注目している理由を、プロジェクトリーダーへの取材をもとに紹介します。

64

パークのアクティビティが新たなビルのリサーチを兼ねる

期限付きのパークは、既存ビルから新しいビルをつくるための移行期間です。そして新たなビルにパークのコンセプトを引き継ぐため、パークで行われるアクティビティの結果を新しいビルの計画に反映します。パークの運営は新たなビルの実証実験の場でもあるのです。

65

公共性をメディアにする

建物を壊した跡地をパークにするという公共性を帯びたアプローチで、銀座という日本の中でも特別な場所から社会に広くメッセージを発信しています。メディアに精通した企業ならではの街づくりの手法に、人々の関心を引き付ける都市再生のヒントがあります。

66

都市の余白が寛容性とリズムを生み出す

均質なボリュームのビルが林立する銀座の中に、ぽっかりと「余白」をつくることで、街の中に新たなリズムを生み出します。社会の価値や常識が日々変化する時代にあって、都市の余白が生み出す空間や時間のあいまいさは、さまざまな人々を受け入れる寛容さを生み出すのです。

地上フロア。銀座を訪れた買い物客や外国人観光客のほか、近くのサラリーマンが昼休みに休憩を取る様子も見られる

KOBAN

新旧の価値をつなぐ新たな事業手法

2020年の東京オリンピック開催に向けてたくさんのビルが壊され、そして建て替えられているなか、段階的な建て替え計画のプロセスの一環として「公園」をつくるという、2018年にソニーが提案した事業手法は、斬新なものでした。

このプロジェクトは、もともと1966年につくられた銀座のソニービルの建て替え計画からスタートしています。2020年秋に新しいビルが着工されるまでの2年間という期限付きのこの空間では、「変わり続けるパーク」と称して日々実験的なイベントを開催しています。1日1万人以上の人々が訪れる場所になっており、開園から1年半ほど経った2019年11月30日時点では既に500万人を超える来園者があったそうです。

老朽化したビルをリノベーションして残すか、新しいビルをつくるために壊すか。この二択であったこれまでの事業手法に対して、「パーク」という概念によって新旧のビルの価値をつなげようとしている事業プロセスにこそ、このプロジェクトの面白さがあります。ウォークマンやaiboなど、時代の既成概念を覆しながら新たな価値をつくり出してきたソニーが考えるパークとは何か。その答えを知りたくて、プロジェクトのリーダーであるソニー企業(株)代表取締役社長兼チーフブランディングオフィサーの永野大輔さんに話を伺いました。同社の設立は1961年。ソニーの全額出資により、旧ソニービルの建設・管理運営を目的として生まれた子会社です。

銀座の庭を新たなプラットフォームへ

ソニーの平井一夫社長(当時)直下のプロジェクトリーダーとして、永野さんが全体の指揮を執ることになった2013年は、ソニーの経営が不振だった時期と重なっています。当時ソニービルは「変われないソニーの象徴」と世間から認知される状況にありました。

一方で、モダニズム建築の名作として建築的には高く評価されており、取り壊しに際しては否定的な意見が多いことも予想の範囲内でした。そこで建て替えに当たっては、都市的な視点において広く共感を呼び、同時にソニー復活のシンボルとなるプロジェクトにしなければならないとの強い思いがあったそうです。

再生の道筋が先人の思想にあると考えた永野さんは、ソニーの創業者の1人で当時副社長を務めていた盛田昭夫氏が旧ソニービルに込めた「街に開かれた施設」と、その象徴であったパブリックスペース「銀座の庭」のコンセプトを継承すべきであると考えました。また、プロジェクトを始めたときに平井氏からは「inviting」というコンセプトを伝えられたそうです。このコンセプトと、盛田氏の「街に開かれた施設」という2つの要素が1つになって、プロジェクトの進むべき方向性が見えてきたと言います。

銀座の庭を拡張して公園のような場所をつくり出すことで、銀座に来た人が一息つける場所をつくることができれば、銀座という場所に再び貢献できるのではないか。また、インターネットでモノが売買される状況下にあって、銀座に来る、ソニービルに来る動機が見出しにくいなか、「inviting」というコンセプトによって誰もが訪れやすい公園のような状況をつくり出せれば、ソニーのブランド価値を高める拡張性の高いプラットフォームがつくり出せるのではないか。永野さんはそのように考えたのです。

ソニーらしい「建てない」という選択

永野さんがプロジェクトに参画した頃、議論の主題は「次のビルはどうしよう」という、ハードや機能の話ばかりになりがちでした。銀座のビルだと地区計画による規制で最高高さ56メートルまで。ハードのディテールを検討すればするほど、既存のビルに似てしまうという矛盾を抱えます。そこにソニーらしさをどうやって見出せばよいのか。50年に1度のプロジェクトなのに、これでいいのだろうかとさまざまな疑問が湧いてきたそうです。

ソニーという会社のスピリットは「人のやらないことをやる」。この原点に立ち返る必要がありました。永野さんは「通常ではやらない方法でやろう」と決心します。その答えが「2020年に向けて、まわりが新しいビルを次々に建てているなかで、あえて建てない」という選択でした。東京オリンピックに向けての建設費高騰を背景にしつつも、建てないというプロセスによって場所に過去と未来をつなぐきっかけが生まれること、そしてこのプロセスこそがソニーという自己の再定義につながるという判断が、最終的な決め手となりました。

多くの人々から愛されたソニービルを壊すということに対する責任はとても重く、ゆえに「考え抜いて物事を決める」ことにこだわった末、辿り着いた結論でした。安易な選択はしない。デベロッパーや建築家に丸投げしない。トップの考え方を実現するための必然的な結果であったと、永野さんは振り返ります。

常に話ができるチームパートナー

事業企画から施設運営に至るチームメンバーは、永野さんがプロジェクトのビジョンや夢を語り、その想いに共感したことで集まった人たちで構成しました。

地上フロアから内部へ続く階段。ビルのスラブの断面が覗く

地下1階にはユニークなアイテムを取り揃えたコンセプトショップ、キオスク、飲茶スタンドの3店舗が入る

銀座駅コンコースとつながる地下2階。さまざまなイベントが催される広いスペース

地下3階のイベントスペースにあるカフェスタンド兼あんペースト製造所

建築家、建築史家、キュレーター、編集者など多岐にわたりますが、共通しているのはクライアントとカスタマーの組織同士の関係ではなく、ソニーのことを一緒になって考えてくれる“人”を中心としたパートナーであること。自分がつくりたいものをつくるのではなく、ソニーのためにモノづくりを考えられる人たちのネットワークでチームが組まれています。

最初の土台となるコンセプトや基本構想を考える過程では、答えを出すことを急がずに全員が理解し納得できるまで、十分な時間を掛けて議論を進めていったそうです。

施設運営者の選定にあたっても発注者・受注者ではなく、パートナーという関係性にこだわります。「Ginza Sony Park」におけるパートナー選びは、ソニーが考える「都市の中の新たな公園づくり」というチャレンジを面白がって一緒にやってくれるかどうかを選択の基準とし、すべて自分たちの手で交渉を進めたそうです。その過程で、破談となったケースもありました。「最終的に契約に至ったのは、リスクを取ってでもチャレンジしようという精神が旺盛な会社、と言えるかもしれません。一緒に面白いことをやろうというマインドを共有できるかどうかが大切で、そのためには会社のトップ同士で常に話をできることが必要でした」と永野さんは言います。

ソニーの事業は、エレクトロニクスから、映画、音楽、金融と拡大していきましたが、「人のやらないことをやる」というソニーのDNAは今も変わっていません。事業は時代を反映するアプリケーションですが、ソニーのDNAを継承しその思想を体現できる場所は、持続性のある普遍的なプラットフォームに成り得る。この考えをもとに、すべての設計やデザインを決定し、リーシングやイベントを推進していくことになります。

グローバル企業が見据える
ローカルな価値づくり

この「公園」が存在する期間は、既存のビルから新しいビルをつくるためのトランジションタイムであり、「常に変化し続けること」を運営のテーマにしています。そして新しいビルも「パーク」というコンセプトを引き継いでいくそうです。よって、パークで行われているすべてのアクティビティは、新しいビルのリサーチも兼ねています。どれくらいの規模や期間であれば、どの程度の人が入るかという実験であり、Ginza Sony Parkでのアクティビティの結果は、今まさに設計中の新しいビルに反映されていきます。そのために動的なイベント、静的なイベント、大規模、中規模、小規模、ソニーオリジナルイベント、外部とのコラボレーションイベントなど、多様な試みを重ねています。

またこれらの実験から、来訪者の利用目的が見えてきました。1位が休憩、2位が通り抜け、3位がトイレ利用との結果。つまりこれらの、休息を取ったり、待ち合わせをしたり、ショートカットをしているというバックデータは、多様な人が気軽に訪れ、街にリズムをもたらす「inviting」な場所づくりが達成されていることを示してくれました。

ではなぜ、Ginza Sony Parkは「inviting」でなければならないのでしょうか。ビルの建設費と広告費を投資対効果の視点で比較してみると、ビルそのものがソニーのブランド価値を高める媒体にできると、永野さんは考えています。情報化社会において、毎日平均で1万人前後の人々が実際にこの場所を訪れ、そのうえ、滞在時間も多いという事実は、同じ数の広告媒体が売れるのと同等の価値をもつ。つまり投資対効果を考えると、小さい場であっても大きな宣伝効果を得ることが可能だと考えられます。

世界は今グローバル志向の政治や経済によって、地域密着型のスモールビジネスが見捨てられつつあります。一方でこの現象は、「情報化社会が進むほど物語性のある場所とつながれることの価値が重要になる」ことを暗示しています。「inviting」な場所での空間体験は、質の高いブランド価値として人々の記憶に残ると永野さんは考えているのです。

都市に「パーク」という余白を生み出す

永野さんは、「建てない」という選択により、社会に貢献できる新しい建て替えのプロセスを世に問いたいと言います。建てないという選択をすることで、都市に公園のような空間をつくり、次の新しいビル建設の準備期間に充てる。ほかの企業もこの手法を取ってくれれば、街に緑が増える。「コインパーキングではなく、パークにしよう」という発想です。このプロジェクトを先進事例とした建て替えの新たなプロセスが、税法上の優遇や容積率の緩和といった検討の俎上に載らないか、行政機関も今後の動きに注目しているそうです。

従来型のデベロッパー型アプローチではなく、ソニーらしいイノベーション型アプローチで街を変えていく。それはエンターテインメントロボット「aibo」と同じ手法だと言います。aiboが登場するまではロボットは「人の役に立つもの」という考え方が主流でした。ところがその常識とは異なるロボットをソニーは世に送り出し、爆発的ヒットを呼びました。いつでもどこでも音楽を楽しめるウォークマン然り、ソニーは今までにないスタイルを提案し、世の中に受け入れられてきた歴史があります。

「パーク」という概念は都市のプラットフ

銀座駅コンコースと一体となったパークのエントランス。道ゆく人もつい目を止めパークに引き寄せられる

#010
THE PARK

ォームであり、街の中の余白、そして建物の中の余白にも存在し得る概念ではないかと永野さんは考えています。

今回のGinza Sony Parkを建築的な観点から見ると、トランジションタイムにおいて古いものと新しいものがミックスされている状況を生み出していると言えます。実際に地下階からは、都市インフラの断面が見えます。地下と地上が同時に見えるという感覚は、内と外を曖昧にし、境界を解き放つ力をもっています。これは都市における公園という概念の再定義であり、みどりがあるから公園、遊具があるから公園ではなく、銀座の公園的空間は、誰もが訪れやすい都市の中の余白であるべきだというメッセージを「パーク」という言葉で再定義しているのです。

ソーシャルエコノミーを体現する場所づくり

ブランドのバリューが高くなるということは、そのブランドがサステイナブルであることと直結します。ソニーではGinza Sony Parkを、社会貢献につながるブランドプロフィットセンターとして位置付けています。「場所をインターフェイスにして、ブランディングに変換する。企業の社会的貢献や果たすべき役割が求められるなか、ソニーのブランド価値は商品単体からだけでは伝わりません。ソーシャ

森林が更新するメカニズム

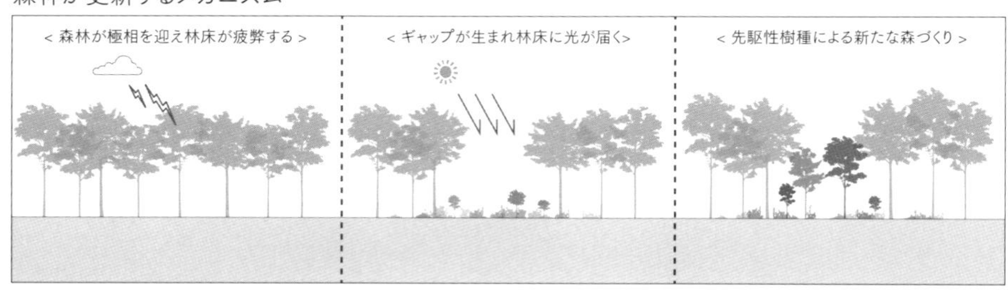

ビルを建て替えるメカニズム

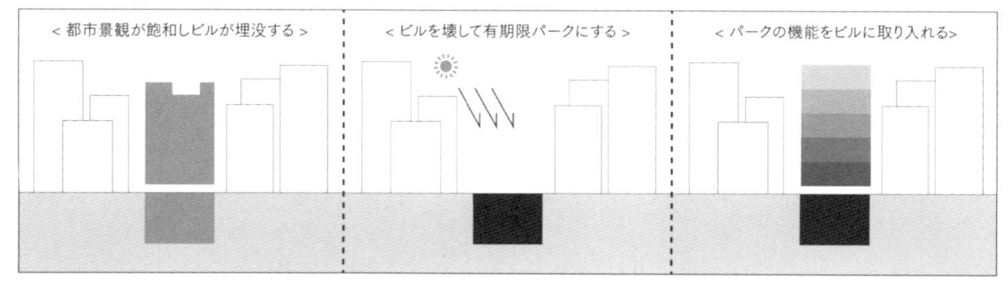

環境の変化を促し持続発展型の基盤をつくる

＊取材をもとに筆者が作成

ルエコノミーとしての活動や表現の場所が求められる時代が来ています。これからはブランドの奥行きをどのようにつくるかに、企業の関心が向かっていくことになるでしょう」と永野さんは話します。

ソニーが考えるパークとは何か。建てないという選択により都市の環境に変化を与え、ソニーブランド独自の持続可能なプラットフォームをつくり出そうとしているプロセスに、その答えがあるように思います。このプロセスは、安定した森の状態をつくり出す植生の遷移にも似ていて、ギャップと呼ばれる余白が森の成長を促すように、トランジションタイムを通じて新たな時代に適合できる環境を自らの意思をもって生成しているようにも感じられます【p.184 下図】。

Ginza Sony Park は、現代社会の象徴であるスクラップ&ビルドという既成概念に一石を投じ、都市のリズムを変える意味をもつプロジェクトです。ソニーのDNAを引き継ぐ永野さんの強いリーダーシップのもと、時間を惜しまず全員でモノ決めをしていったというプロセスにこそ、「パーク=誰もが訪れやすい都市の余白」という概念に辿り着いたヒントがあるのではないでしょうか。

文:平賀達也/取材協力:ソニー企業㈱ 代表取締役社長・チーフブランディングオフィサー 永野大輔 ＊本原稿は2019年9月に行われた取材をもとに構成しています

Ginza Sony Park データ

主催者概要

Ginza Sony Park Project
組織形態:ソニー企業㈱が中心となって運営する組織や外部有識者などからなるプロジェクトチーム
設立年:2013年
Ginza Sony Park:
https://www.ginzasonypark.jp

地域概要

対象レベル:敷地レベル
敷地面積:707.27 ㎡、延床面積:3,807.55 ㎡
地域特性:首都圏都心部
用途地域:商業地域
活用制度:無

あとがきに代えて

平賀達也

山崎 亮

泉山塁威

樋口トモユキ

西田 司

公共空間は守られるべき権利

本書の編集最終段階は、折しも新型コロナウイルスの流行による
緊急事態宣言下にありました。コロナ禍はいったん過ぎ去ったのちにも、
社会に大きな影響を残すのではないかと危惧されています。
公共空間の利用においてはどのような変化が予測されるでしょうか。

賑わい至上主義から
リバブルシティへ

西田：在宅勤務で自分の家のまわりを歩く機会が多くなり、とくに機能をもつでもない空白の空間の気持ち良さを発見したのではないか、それが公園などの公共空間に目を向けるきっかけになるのではないかと思っています。

山崎：公共空間がもう少しプライベートに利用できるように、たとえば屋外のリビングのように変化していくといいと思いますね。夜になるとライトを付けて本を読んでられるような1人用のブースが、2mおきに街路沿いにあったり。

　最近、アメリカ・ニューヨーク市がいち早く民間のカフェに道路空間の使用許可を出していましたね。日本でも飲食店が路上客席を設けやすくなるよう、路上利用の占用許可基準が緩和されることになりました。そういう動きはいいですね。

樋口：密集状態を避けるという意味では、室内より屋外のほうが安全ということは間違いないですから、屋外の価値は高まりますよね。

山崎：ただその客席やパークレットがお店のお客さんでないと座っちゃいけないという雰囲気が出てしまうのであれば、これは公共空間が消費空間に変わってしまうだけなので、良くない状態だろうとは思います。

西田：確かに。でもそこをもう少しカスタマイズする仕組みができれば、住みやすさにつながりますよね。賑わいの延長ではなく、リバブルシティ（住みやすい都市という概念）を追求していったとき、公共空間がそれを提供できることになります。

泉山：公共空間利用のブームがずっと続いていますが、他国では市民生活に公共空間を提供するというリパブリックシティ的な観点が大きく、日本の賑わい至上主義とかなり大義がずれているという感覚があります。

コロナ禍で賑わいのために人を集めづらいこの状況は、何のために公共空間を使うのかを考え直すいい機会だと思っています。

公共空間は社会保障の1つ

山崎：そもそも公共空間の意義は、1848年に伝染病の流行を抑える目的で制定されたイギリスの公衆衛生法に端を発してるんですよ。公衆衛生法が分岐して、都市空間の基準をつくる法律と、医療・保険・介護などの社会福祉を充実させる法律の整備へとつながった。

ですからそもそも賑わいをつくり出すという名目で税金を投入し、経済を活性化させ、税金として投資を取り戻すというやり方は、特殊解としておかないといけなかったと思うんです。

公共空間を良くするというのは、基本的には社会保障として守られるべき権利だから。

樋口：確かに公園が社会保障の一種だという認識は、日本ではあまり根付いていないように思います。

泉山：それとは対照的に、公園にレストランなど民間施設をつくるという動き（都市公園法の設置管理許可やPark-PFIの展開）は、日本が急速に拡大させているように感じますね。

平賀：人口減少による税収減に対するアクションの1つでもありますからね。

ただ公共空間は短期的な経済効率に引っ張られない、長期的な地域投資を行う場所であるべきだと思います。たとえば「南池袋公園」が目指したのは、民間資本の活用や手離れの良い運営ではなくて、公園という公共資産の持続的な運営に地域の事業者や地元の関係者が自分ごととして関われる仕組みづくりにあったわけです。

公共空間が、今は賑い至上主義かもしれないけれど、文化的に成熟する移行期にあると考えたほうがいいですよね。そうすれば行政が公共空間に税金を投下せざるを得なくなる。公共空間は時代の民意を反映できる場所なのですから。

樋口：コロナでダメージを負った国内の経済状況を立て直すという名目で、MMT(現代貨幣理論)や新自由主義経済が加速する懸念があります。ただそのような政策下にあるのであれば、われわれは公共の福祉につながるような分野に投資されるよう、きちんと見張っていく必要がありますね。

山崎：公共空間を楽しくしようと動いている人たちって皆いい人ばかりだから、うまく使ってもらうため、知恵を絞って頑張ってる。でもそれが新自由主義経済の覇者に利用されて、努力していることがマイナスにならないようにしないといけない。民営化していいところといけないところを見極めながら、楽しくすべきところは楽しく使ってもらいつつ、公共空間自体の意義も伝えていかないといけません。

たとえば微気象調整機能であったり、粉塵吸着や水源涵養機能などの科学的な価値付けをしてもらったり、ほかにもいろいろな方面の専門家に価値を教えてもらい、福祉の文脈から語ることも公共空間を守る武器にしていきたいと思いますね。

Profile：プロフィール

編著者

平賀達也 Tatsuya HIRAGA

1969年徳島県生まれ。高校卒業後に単身アメリカへ留学。1993年ウェストヴァージニア大学 ランドスケープアーキテクチュア学科卒業後、（株）日建設計入社。2008年（株）ランドスケープ・プラス設立。現在、同事務所代表、ランドスケープアーキテクト連盟副会長。
東京を拠点に、都市の中で自然とのつながりを感じられる空間づくりや仕組みづくりを実践している。

山崎 亮 Ryo YAMAZAKI

1973年愛知県生まれ。1995年メルボルン工科大学（環境デザイン学部ランドスケープアーキテクチュア専攻）留学。1997年大阪府立大学（農学部緑地計画工学）卒業。1999年同大学大学院（地域生態工学専攻）修了後、同年（株）SEN環境計画室入社。2005年studio-L設立。2013年東京大学大学院（工学系研究科都市工学専攻）博士課程修了。現在、（株）studio-L代表、慶應義塾大学特別招聘教授（総合政策学部）。
地域の課題を地域に住む人たちが解決するためのコミュニティデザインに携わる。

泉山塁威 Rui IZUMIYAMA

1984年北海道札幌市生まれ。2007年日本大学（理工学部建築学科）卒業。2009年同大学大学院（理工学研究科不動産科学専攻）博士前期課程修了、2015年明治大学大学院（理工学研究科建築学専攻）博士後期課程修了。博士（工学）。（株）アルキメディア設計研究所、明治大学助手、助教、東京大学先端科学技術研究センター助教などを経て、2020年より日本大学（理工学部建築学科）助教。現在、（一社）ソトノバ共同代表理事・編集長、PlacemakingX 日本 Regional Network Leader、東京大学工学部都市工学科非常勤講師。
専門は、都市経営、エリアマネジメント、パブリックスペース。「プレイスが豊かになれば、地域や都市は豊かになる（The Better Place, Better Area, City）」をモットーに、タクティカル・アーバニズムやプレイスメイキングなど、パブリックスペース活用の制度、社会実験、アクティビティ調査、プロセス、仕組みの研究・実践・人材育成・情報発信に携わる。

樋口トモユキ Tomoyuki HIGUCHI

1972年愛知県生まれ。1997年早稲田大学大学院（理工学研究科建設工学専攻）修了。同年（株）日経BP入社、2004年より建築専門誌『日経アーキテクチュア』記者。2010年東大まちづくり大学院（工学系研究科都市工学専攻）修了。2015年～16年まちづくり会社ドラマチックにてディレクター。2017年ローカルメディア設立。
現在、同代表編集者、ソトノバ副編集長。地域を主体としたイベントの企画や盛り上げ、制作・編集に携わる。

西田 司 Osamu NISHIDA

1976年神奈川県生まれ。1999年横浜国立大学（工学部建築学科）卒業後、同年スピードスタジオ設立。2002～07年東京都立大学大学院助手。2004年（株）オンデザインパートナーズ設立。現在、同事務所代表、東京大学、東京工業大学、東京理科大学、日本大学非常勤講師。
住宅・各種施設の建築設計や家具デザイン、まちづくりなどにて幅広く活動を展開。

著者

醍醐孝典 Takanori DAIGO

1976年大阪府生まれ。2001年大阪府立大学大学院（地域生態工学専攻）修了。兵庫県農林水産部、（財）京都市景観・まちづくりセンターを経て2006年studio-L参画。2007年京都市まちづくりアドバイザー。2015～20年東北芸術工科大学（コミュニティデザイン学科）准教授。
住民参加のまちづくりや総合計画策定の支援、公共施設の計画・運営における市民参画の仕組みづくりなどに関わる。

小泉瑛一 Yoichi KOIZUMI

1985年群馬県生まれ、愛知県育ち。2010年横浜国立大学（工学部建設学科）卒業。2011年ISHINOMAKI 2.0立ち上げに参画、現地事務局として常駐。2011～20年オンデザイン。2015～16年首都大学東京特任助教。2018年青山学院大学ワークショップデザイナー育成プログラム修了。
2020年about your city設立。市民駆動型の建築設計、まちづくり、エリアマネジメント拠点運営などに取り組む。

Credit：クレジット

撮影・提供

あそべるとよたプロジェクト推進協議会：p.062-063, p.074（左、右上）, p.075（上左、上右上、上右下、下左、下右上）
アトリエカフェ：p.112（上）
（株）オンデザインパートナーズ：p.162（3 点）, p.166（2 点）, p.168-169
（一社）グッドラック：p.124-125, p.128,129（4 点）, p.132, 133（2 点）, p135（2 点）, p.136（4 点）, p.137
熊谷義朋：p.154-155, p.158-159, p.163（5 点）
（株）グランドレベル：p.078-079, p.082（5 点）, p.083（2 点）, p.087（2 点）
NPO 法人コドモ・ワカモノまち ing：p.101（4 点）
ソニー企業（株）：p.170-171
染の小道実行委員会：p.018-019,p.022, p.023, p.026(2 点), p.027(5 点), p.030-031（3 点）, p.032-033
高岡弘：p.138-139, p.143（中）, p.150（右上）
南海電気鉄道（株）：p.106-107, p.110（2 点）, p.111（3 点）, p.113, p.114（下 2 点）, p.115（2 点）,
p.118（2 点）, p.119（2 点）, p.120-121
ねぶくろシネマ実行委員会：p.034-035, p.038, p.039, p.042（2 点）
（有）ハートビートプラン：p.070
パブリックライフフェスさいたま新都心実行委員会：p.046-047, p.050-051（4 点）, p.052, p.054（2 点）,
p.055, p.057, p.058（3 点）, p.060-061
林匡宏（Commons fun）：p.059
樋口トモユキ：, p.090-091, p.094, p.095, p.098（4 点）, p.099, p.102-103, p.170-171, p.174-175,
p.178（2 点）, p.179（2 点）,p.182-183
Hyo Ykin：p.150（右下）, p.151
（株）ブルースタジオ：p.143（上、下）, p.146（上、下） p.147（上、下）, p.148, p.150（左上、左下）
ユウブックス ：p.008（3 点）,p.009（2 点）,p.186（3 点）, p.187（2 点）

取材をもとに作成

（株）オンデザインパートナーズ：p.161
醍醐孝典：p.134
樋口トモユキ：p.024（2 点）, p.028(2 点), p.041, p.043, p.096
平賀達也：p.144, p.184
ユウブックス：p.086

出典

「都心の未来デザインブック（豊田市都心地区空間デザイン基本計画）」p.066-067（5 点）,
p.068, p.069, p.071, p.074（右下）, p.075（下右下）

楽しい公共空間をつくるレシピ

プロジェクトを成功に導く66の手法

2020年7月30日　初版第1刷発行

編著者　平賀達也・山崎 亮・泉山塁威・樋口トモユキ・西田 司
発行者　矢野優美子
発行所　ユウブックス
〒221-0833　神奈川県横浜市神奈川区高島台6-2
tel: 045-620-7078　fax: 045-345-8544
info@yuubooks.net　http://yuubooks.net
編集　矢野優美子
ブックデザイン　坂 哲二（BANG! Design, inc.）
印刷・製本　株式会社シナノパブリッシングプレス

ISBN 978-4-908837-08-1 C0052